ケアの倫理とエンパワメント

小川公代
Kimiyo Ogawa

講談社

目次

装幀　川名潤

ケアの倫理とエンパワメント

序章　文学における〈ケア〉

1．〈ケア〉の価値が看過されるわけ

ケアはわたしたちの身近な活動であり、しかも、ケアを受けてない者はいないと断言できるほど人間存在にとって重要な活動であるにもかかわらず、なぜその活動とそれを担う者たちが、長い歴史のなかで軽視、あるいは無視され、価値を貶められてきたのだろうか。（岡野八代「訳者まえがき」、『ケアするのは誰か？』[*1]）

このような問いは、いまでは日々の生活のなかでも、あるいは倫理学や政治学、そして文学を含め広く人文学の分野でも、切実な問題として注目され始めている。

文学におけるケアといえば、すぐに思い浮かぶのはシャーロット・ブロンテ（Charlotte Brontë, 1816-1855）の『ジェイン・エア』（*Jane Eyre*, 1847）である。孤児になったヒロインのジェインは親戚に引き取られても十分なケアを与えられず、それでも、寄宿学校の過酷な環境で勉学に励み、ついには自立できるようになる。そして、雇われた

ロチェスター家ではアデルという少女の家庭教師になる。ジェインは、家庭教師としてさまざまな〈ケア〉を提供する。アレクサンドラ・ヴァリントも指摘するように、二人は教室の外でも一緒に過ごし、ゲストが屋敷に到着すれば、アデルのそばで見守るのもジェインの役割である。[*2] 血のつながりのない少女アデルに思いやりをもって接するジェインは、ケアリング（＝ケアすること）の価値を体現しているともいえ、ロチェスター氏と結婚し、息子が生まれるという小説の結末は、その後、ジェインがアデルと自身の息子を育てていくだろう「ケア人生」が示唆される。

しかし不思議なことに、これまでブロンテ研究において、「ジェイン・エアとアデルの関係」が考察されることはほとんどなかった。[*3] なぜなら、文学研究の領域においても、〈ケア〉という価値は長いこと貶められてきたからだ。公的領域と私的領域が分離し始めた近代以降、小説というジャンルが勃興した。そしてこの小説に登場する〈家庭の天使〉、つまりケア労働を自ら進んで担う女性たちは、ヴァージニア・ウルフ（Virginia Woolf, 1882-1941）や二〇世紀以降の批評家たちの批判対象となってきた。家庭のケア労働はなくてはならない価値ある営為であるにもかかわらず、経済的、あるいは精神的に自立することのほうがより重視される傾向にある。

今日に至っても女性の社会進出はまだまだ困難であるが、一〇〇年前の女性たちにとってはより深刻な問題であった。ウルフは『自分ひとりの部屋』（*A Room of One's Own*,

1929）にこう書いている。「男性はそこかしこ、芸術だけでなく政治においても、自分への損害が最小限で、女性が控えめかつひたむきに頼み込んでいる場合でも、行く手を塞いでしまうのです」。看護医療の世界に革新をもたらしたフローレンス・ナイチンゲールでさえ、経済的自立を勝ち取るまでにどれほどの苦労があったかについてウルフは「目が潰れるほど泣い」て、「苦悩のあまり悲鳴を上げ」たと、自立しようとした女性が直面してきた数々の困難を伝えている。[4]

欧米でも日本でも、個が「自律／自立する」ことを重んじる価値観が多数派である一方、「依存する」あるいは「関係性をむすぶ」というケアの価値観はまだまだ少数派のものである。資本主義社会において新自由主義《ネオリベラリズム》的な文化が支配的な文脈では、〈ケア〉の価値が貶められてきたからだ。一九六〇年代のフェミニズム運動によって、女性の経済的自立が推奨されるようになったことも、その傾向に拍車をかけた。そんななか「ケアの倫理」の重要性を訴えたのが、キャロル・ギリガン（Carol Gilligan, 1937-）である。彼女は一九八二年に『もうひとつの声』（*In A Different Voice*）を発表し、長らく看過されてきた〈ケア〉の復権を主張した。ギリガンの研究は、当時の状況を明るみにし、社会科学の進展を推し進めた。[5]

個人の自律を尊重するリベラル・フェミニズムの立場から考えると、「ケアの倫理」より、ローレンス・コールバーグ（Lawrence Kohlberg, 1927-1987）に代表される「正義の倫理」というオーソドックスな発達心理学のモデルや、ジョン・ロールズ（John Bordley Rawls, 1921-2002）の「正義の原理」などのほうが受け入れられやすいだろう。現在の日本社会でも、「個」の責任において生きる自助（self-help）の精神に基づき、自律、正義、普遍化する能力としての理性が受け入れられる傾向にある。勿論、現代の新自由主義的な文脈と同一視することはできないが、リベラリズムの教育理念はよくも悪くも「個」が基準である。近代社会の理念を提唱してきた思想家たち、ルネ・デカルト、ウィリアム・ゴドウィン、トマス・ペインらの思想も「個」の自律と正義の倫理が基盤にあった。デカルトの「我思う、ゆえに我あり」はそもそも「個」の思考を理性に帰する近代の思想である。ギリガンの擁護派と彼女の反対派のあいだに分断が生じてしまうのは、リベラルな後者は「個」という行為主体性《エイジェンシー》の否定につながる思想はなかなか受け入れられないからである。

　一九九〇年代、筆者はイギリスの大学で政治・社会学を専攻していたが、その学部の授業でギリガンの議論に出会った。従来の「正義の論理」との相対化をはかり、その〝もうひとつの声〟に「ケアの倫理」という名を与えた彼女の論に触れ、大きな衝撃を受けた。ギリシア神話のペルセポネーの物語を援用しながら、弱者たる女性たちが孤立することなく連帯していく〈ケア〉や〈共感〉の価値を再評価しようとするギリガンの主張に心を揺さぶられた。なぜなら、当時——働く女性が増え始めていたとはいえ——とりわけ日本では女性はまだまだケアの担い手として私的領域に押し込められたままであった上、ケアの価値を承認することはフェミニズムの動向と逆行すると思っていたからだ。

そこで卒論のテーマとして「日本における女性パートタイム労働者の実態」を選び、夏休みに一時帰国して、二三八名を対象にアンケート調査を行い、七名にインタビューをした。家庭のケア労働を優先させる女性が経済的自立についてどう考えているかを知りたいと思った。彼女らの多くはパートタイム労働をあくまで妥協と見なし、いずれはフルタイムの仕事に就くことを視野に入れているにちがいないという仮説を立てた。ところが、調査対象者のほとんどが、「家庭でのケア労働を優先したい」「正規雇用労働に従事して経済的自立をめざす気はない」と回答した。

当時の女性の年齢別労働力率のグラフからも、くっきりとした「M字型就労」のパターンが見て取れるが、このM字というのは、二〇歳代でピークに達した後、おおよそ結婚・出産期にあたる三〇歳代に落ち込み、また育児が一段落した四〇歳代に上昇する。しかし、育児が一段落したあとの上昇は主に非正規雇用においてである。近年、日本でも三〇歳代の出産・育児期にも働ける環境が整ってきていることもあり、たとえば二〇一二年の女性労働者のM字カーブの底は浅くなり台形に近づいてきているが、正規雇用の割合は欧米諸国にはまだまだ及ばない。[*6]

日本には、一九七〇年代から一九八〇年代にかけて定着した雇用の強固な仕組みがあり、それが「M字型就労」を維持させてきたともいえる。長時間労働、頻繁に行われる職務転換、即座の転勤などに応じられる男性に安定した雇用と賃金上昇を保証する仕組みである。他方で、女性（妻）がフルタイムの仕事を持たないで家事やケア労働（育児・介護・看護）を担い、男性（夫）が家庭内のケア労働を免除される。そして政府も、各種規制や補助制度を整備して企業を守り、男性稼ぎ手の安定した雇用を維持しようとする。筒井淳也によれば、このような仕組みというのが、日本社会が「男性稼ぎ手モデル」からなかなか抜け出せない大きな要因である。*7

大学で女性の指導教官や社会学研究者から〈フェミニズム〉の思想や価値観を吸収した筆者にとっては、個の経済的自立は女性の当然の権利と感じられた。その一方で、日本の多くの女性たちがそれとはまったく異なる価値観を持っていることを知り、困惑した。個が自立することの価値と互いに依存しあうことの価値が宙づりになり、社会学の分野でジェンダー研究を続けていくことに不安を覚えた。それまでは社会科学の前提である単線的、直線的時間観に則して、仮説を立てて統計調査を行い、結論を導き出していたが、この方法論では、ケア労働に従事する人々がどのような葛藤を抱えているのかという内面の奥底を知ることはできない。アンケート調査の回答者の内面は筆者にとってはブラックボックスであった。インタビューで聴いた何人かの女性たちの声は心に響いたが、必ずしも自発的に語ってくれているわけではないことも伝わってきた。

そんなとき、ギリガンが援用した「ケアの倫理」を象徴するペルセポネーの物語から大きなヒントを得た。この物語は母娘の連帯、あるいは弱者同士の共感やケアをベースとしている。ペルセポネーはハデスに凌辱され冥界に下ることになるが、ギリガンが注目するのは、母デメーテルやニンフたちがゼウスやハデスの力に屈することなく、ペルセポネーに寄り添い続けるという〝関係性〟の重要性である。

そこで、このような人間の経験に基づく想像世界に分け入ってみたいという欲求が芽生え、文学研究に移行することにした。しかし、しばらくすると、国内外の文学批評においても〈ケア〉の価値は評価されてこなかったことを思い知った。たとえば、ケアの担い手である女性が描かれる作品がどのように評価されてきたかといえば、「行為主体性《エイジェンシー》を欠く」「無欲である」「自己犠牲的すぎる」など厳しい批判が目立つ。

メアリ・シェリーによる『フランケンシュタイン』に登場するエリザベス・ラヴェンザといった女性たちは、主人公ヴィクター・フランケンシュタインの科学の探究という野心がもたらした悲劇の犠牲になってしまうのだが、この点に着目するケイト・エリスは、彼女らのケアの精神は結局「無力さ」(ineffectuality)を生み、家父長的な女性観を再伝統化してしまうと批判的である。[*8] エリザベスが主人公の幼い弟ウィリアムのケア提供者である点は、ほとんど言及されていない。対照的に、多くの批評家にとって、『ジェイン・エア』のヒロインは、自己犠牲的に生きることを拒否し続け、家庭教師として経済的、精神的な自律／自立をめざす、賞賛すべき女性なのである。

育児などのケア労働が女性の経済的自立を阻んでしまう営為であることはたしかである。しかし、〈ケア〉を社会全体で引き受けるような国の政策が打ち出されないかぎり、自己犠牲であると分かっていても、育児や介護を担う多くの女性たち（時に男性たち）はケアすることを放棄しないだろう。なぜなら脆弱な存在の子どもや高齢者は、彼女ら（彼ら）のケアの行為なくしては生きてゆけないからだ。そして、特権をもつ強者が社会のマジョリティであるかぎり、公的、私的領域において弱者がケアの担い手とならざるを得ない現状はそう簡単に打開できそうにない。

2．ネガティヴ・ケイパビリティと共感力

インタビューした女性パートタイム労働者たちのほとんどは、子どものために早く帰宅できるから「時給」で区切られた労働形態は最適だと言った。しかし、時間で区切られた労働に従事することが自分のライフスタイルに合っていると回答しながらも、底知れない葛藤をかかえていることだってあるだろう。精神医学者にしてヴァージニア・ウルフの研究者、神谷美恵子は「大ていの人は大人になると何らかの出来合いのイデオロギーで説明し去るか、あるいは一切考えるのをやめるほうが多い」と述べ、「考えること」を一生や

めなかったウルフの言葉から豊かな示唆を得られることを伝えている。*9 人間には、連続的進行の「クロノス的時間」とは別の「カイロス的時間」が流れている。それは、経験に基づいた想像世界が育まれる時間である。ウルフのように、考え、葛藤し続け、豊かな想像的時間を紡いでいる人も女性パートタイム労働者のなかにいるはずだ。

ウルフの心を突き動かしたのは、「日常生活の表面的な現象の背後に、何かもっと本当のもの、真の現実というべきものがあるのではないか」（神谷美恵子「V・ウルフの病跡」、八八頁）という内面に関する問いであった。「自分は何者だろうか」といった問いに向き合い、ひたすら「人生とは何か」「人間とは」「愛とは」「時間とは」について考え続けたウルフのカイロス的な時間感覚はじつは〈ケア〉の営為とも関係する。神谷によれば、ウルフは「人生のもろもろの事実——結婚したり、子どもを生んだり、埋葬したりすることは最も重要でない事柄である」（同、八八頁）と考えていた。ウルフが「人生のもろもろの事実」を重要でない、あるいは〈家庭の天使〉を殺したいと言ったりしたのは、決して〈ケア〉の価値を否定していたからではない。ウルフの文学作品はむしろケア精神で貫かれている。子育て、看護、介護といった物理的な「ケア労働」の背後にある内面世界を包括しようとするのが、ウルフにとっての〈ケア〉なのである。

ウルフが何度も病気になり執筆の中断を余儀なくされたため、刊行までに八年もの歳月を要した小説が『船出』（*The Voyage Out*, 1915）である。神谷は、熱病のために精神異常をきたしてしまうヒロインのレイチェルを見舞うテレンスという男性の気持ちが記される箇所を要約して引いている。ウルフの人生把握の「最も重要な面」を表している部分である。

彼は日常生活の下に、あらゆる行動の下に、苦痛というものが横たわっていることに今まで気がついたことはなかった。その苦痛は平生じっと休止しているが、いざという時には人をむさぼりつくすべく身構えているのだ。苦しみはまるで焔のように、あらゆる行動を端からなめつくして燃えあがるように見える。人生はむごく、苦しみにみちたものであることを彼は身にしみて知った。*10

日常生活の現象や論理的な思考力よりも、心で感じる能力を高く評価していたウルフにとっては、テレンスがもつ他者の苦痛を感受する力をこのように言語化することが大切だったにちがいない。『自分ひとりの部屋』には、文学の傑作はかならず両性具有的な性質を備えていると書かれている。後述するが、男性であっても、女性的な視点を備えている文豪たちは「多孔的な自己」(porous self)のイメージをもっているからだ。ウルフは、シェイクスピアを両性具有的だとし、さらに、ジョン・キーツ、ローレンス・スターン、ウィリアム・クーパー、チャールズ・ラム、サミュエル・テイラー・コウルリッジ、パーシー・B・シェリーの名前を挙げている。「とにかくその種の混合がなければ知性ばかりが支配的になり、心の他の能力は硬化して不毛になるのですから」、ウルフはそう書いている。[*11]

ロマン主義時代に生きたジョン・キーツ（John Keats, 1795-1821）の「ネガティヴ・ケイパビリティ」という概念は、共感力をもつ自己像を表しているといえる。「ケイパビリティ」（negative capability）とは、何かを達成する、あるいは何かを探究して結論に至ることのできる力を意味する。しかし、キーツのこの概念は、知性や論理的思考によって問題を解決してしまう、解決したと思うことではない。そういう状態に心を導くことをあえて留保することをさす。「ネガティヴ・ケイパビリティ」とは、相手の気持ちや感情に寄り添いながらも、分かった気にならない「宙づり」の状態、つまり不確かさや疑いのなかにいられる能力である。

「人はどのようにして、他の人の内なる体験に接近し始められるだろうか」という問いに言及したのは、作家で精神科医の帚木蓬生である。

共感を持った探索をするには、探求者が結論を棚上げする創造的な能力を持っていなければならない。（中略）体験の核心に迫ろうとするキーツの探求は、想像を通じて共感に至る道を照らしてくれる。[*12]

キーツのネガティヴ・ケイパビリティにとって、想像力は他者との共感に至る道筋である。そして、このような〈ケア〉の営為には、あえて留保する力が必要である。帚木によれば、ヒトの脳には、「「分かろう」とする生物としての方向性が備わって」いる。

さまざまな社会的状況や自然現象、病気や苦悩に、私たちがいろいろな意味づけをして「理解」し、「分かった」つもりになろうとするのも、そうした脳の傾向が下地になっています。（帚木蓬生『ネガティブ・ケイパビリティ』、八頁）

この一文はじつに示唆的である。他者の言葉を聴こう、他者の気持ちを理解しようとすることは忍耐力が必要であるという点で、文学の営為にも通じる。物語を創作すること、あるいは読むことは、誰かの経験に裏打ちされた想像世界に向き合い、じっくり考えて耐え抜くプロセスでもある。

医師になるつもりでロンドンの病院に勤めていたキーツは、途中で詩人になった。患者の術後の経過を見守るとき、回復するかにみえる状態が次の日には悪化することもある。また、キーツは結核に罹患した母と弟を看護してもいた。病気や苦悩に寄り添いながら、その状況をじっと見守る営為と、物語を言葉で紡いでいく営為は地続きであっただろう。

キーツにとって他者に開かれた「多孔的な自己」は、「感覚」(sensation)と「想像力」(imagination)の働きに支えられていた。

3．善の「過剰」を留保する

一八世紀の医学言説でもっとも支配的だったのは神経学だが、キーツはそのなかでもとくにデヴィッド・ハートリー(David Hartley, 1705-1757)の観念連合理論に影響を受けていた。この理論の「振動説」(vibration theory)は、脳内で熱と動脈や神経の鼓動によって絶え間ない振動が生じることから説明される。ハートリーの理論は、身体の生理学的および心的事象の密接な繋がりを研究する現代の心理学への端緒を開いた。また、神経生理学や神経学と現在呼ばれるものの創始者ロバート・ウィット(Robert Whytt, 1714-1766)は、神経器官の末端で感じとる感覚印象が脳に伝えられるという神経システムの「共感原理」(sympathy)が主要な役割を果たすと主張した。

一八世紀に医学生としてトレーニングを受けたキーツにとって、このような「共感原理」こそが彼の詩的言語の源泉であった。彼は一九世紀初頭、最も知名度の高かった解剖学者、病理学者であったアストリー・クーパー(Astley Cooper, 1768-1841)に師事した。神経が過敏な精神状態であるときには他者が感じている感覚や思考を経験することができるというクーパーの共感原理も、おそらくキーツのネガティヴ・ケイパビリティの概念を形成する素地になっただろう。[*13]キーツの物語詩『イザベラ』は、恋人ロレンゾを兄に殺害されたヒロインの悲痛さを描いている。貧しい男との結婚を阻止するためのロレンゾ殺害からは、兄がいかに経済的な価値を重視しているかがわかる。対して愛の価値を重視するイザベラは、ロレンゾの苦痛に思いを馳せながら、埋められていた彼の頭をバジルの鉢に植え、その植物を育てる。そのバジルが青々と繁るのは、イザベラが流す涙のためである。キーツが用いる「脳」(brain)や「精気」(spirit)という言葉は当時の医学言説で多用されていた。[*14]外的世界と内的世界が神経器官で繋がっているのは、脳と神経の末端とのあいだを行き交う「精気」の運動のおかげであると考えられていた。このような自己像は、つねに多孔的で、かつ他者に開かれたものである。

他者に開かれたスピリチュアルな自己こそ、世俗の時代に求められる自己像であると論じているのは、カナダの宗教社会学者チャールズ・テイラー(Charles Taylor, 1931-)である。先述した近代社会におけるリベラルな思想のもとで長いこと評価されてきたのは「緩衝材に覆われた自己」(buffered self)で、啓蒙期以降の多孔質でない「自立した個」の比喩としても用いられている。他方、「多孔的な自己」は、より緩やかな輪郭をもつ、近代では希薄になりつつある存在で、他者の内面に入り込むほどの想像力を有する自己像である。自他二元論が支配するような世界から一度切り離してみて、内的世界と外的世界とを行き来するようなスピリチュアルで他者への想像力が及ぶ自己について考えてみる価値はあるだろう。[*15]

テイラーによれば、近代社会における自己を語る際に参考になるのが、四方八方を壁に覆われたような閉じられた「個」と、壁のない（壁があったとしても穴があいている）「多孔的な自己」という二つの対照的なイメージである。

『ジェイン・エア』はフェミニズム研究の分析対象となってきたが、その理由の一つには、〝自律/自立したヒロイン〟、すなわち強い「個」の魅力があったにちがいない。『ジェイン・エア』の批評史は「ケアの倫理」が看過される典型例としても参照できる。自立した強い女性として高く評価されてきたジェイン像を定着させた代表的なフェミニズム研究は、サンドラ・ギルバートとスーザン・グーバーによる『屋根裏の狂女』（*The Madwoman in the Attic*, 1979）であろう。彼女たちは、小説の結末でジェインが結婚して家庭に入ることは、彼女が遺産を相続するだけでなく火事で視力を失ったロチェスターが格下げされることで、いわば許容される物語になると解釈している。[*16] 多方面からの解釈が可能なはずなのに、どうしても〝自律/自立したヒロイン〟というイメージが一人歩きしてしまうのが、この小説の批評の特徴である。

この作品の評価が時代によって変化してきたことを再考する必要があると言ったのは、フェミニズム批評家のコーラ・カプランである。彼女は、一九七〇年代以前の女性像を踏まえて、ジェイン・エアの強烈な「個」という価値がフェミニズム批評で「普遍化」されてはいないだろうか、と問い直している。それによって女性観についての「歴史性」が看過されてきたのではないか、自立心を示せない女性は「劣る」といえるのだろうか、[17]とカプランは問いかけている。この議論は、シャーロット・ブロンテが個人の苦しみや怨恨に囚われすぎて、本来の文学的な才能が発揮されていないと批判したヴァージニア・ウルフのフェミニズムを踏まえている。ブロンテが提示する強烈な「個」や、彼女が抱える「怒り」（anger）を乗り越えなければならないと言ったのはウルフであった。しかし、ウルフ自身も、『ジェイン・エア』の想像力と共感力の側面を看過していることに留意する必要はあるだろう。ジェイン・エアの親友ヘレン・バーンズの愛読書は、空想世界が入り混じったサミュエル・ジョンソン『ラセラス』であった。

ウルフがシャーロット・ブロンテの小説の書き方に批判的であったのは、彼女がヒロインの経験をいかにも「普遍的」「単一」であるかのように、あるいは「彼女が見たものを私たちにも見せようとする」力業で描いたと感じたからである。ウルフは『ジェイン・エア』を強烈な「個」や「怒り」を描いている作品として批判的に捉えていた。[18]もしウルフにとって重要なのが、他者と共感する「多孔的」な女性的アイデンティティと男性的アイデンティティを併せ持つ両性具有的な性質を備えることであったとすれば、ブロンテの小説にも、ジェインに手を差し伸べるヘレンを通じて「多孔性」は描かれていたともいえる。ただ、ブロンテは「あえて」ジェインを多孔的な自己像をもつヒロインとして描かなかったのだ。

その理由のひとつに、深く内面に入っていくナラティヴが、神経病の一種とみなされ、狂気の領域に及ぶ可能性を孕んでいたことが挙げられる。一九世紀の医学言説においては、過剰な想像力は精神病、すなわち狂気を疑われた。断定する理性の力は正常を意味し、留保する想像力――ときに空想力（fancy）ともいわれた――は異常な精神を表した。ブロンテの同時代の医師アンドリュー・クーム（Andrew Combe, 1797-1847）は、骨相学を広めるのに寄与した人物で、精神医学にも貢献した。クームが著書などで詳述している女性の「夢想」と「狂気」のむすびつきは当時あまりに流通したイメージであったため、ブロンテは想像力が過剰であるヒロイン像を差し控えたと考えられる。*19

このように、文学とは時代に要請される「規範」との対話でもある。一八、一九世紀の医学言説を紐解けば、女性の〈身体〉がさまざまな言葉で表されてきたことが分かる。「無垢」「従順」「母性的」という伝統的な性規範に則った女性たちは社会に承認され、その規範を逸脱するような過剰さを見せる女性は「ヒステリー」「狂気」「精神異常」という言葉で揶揄された。一九九〇年代以降は、オースティン、メアリ・ウルストンクラフト、ブロンテ姉妹といった世界的に知られる女性作家だけでなく、これまで脚光を浴びてこなかった、より知名度の低いシャーロット・レノックス、シャーロット・スミス、マライア・エッジワスといった女性作家による文学作品やエッセイが再評価されてきている。これらの作品には、必ずといってよいほど、精神に「異常」をきたしている、あるいは度を過ぎて「男らしい」女性が登場するが、これらの「過剰さ」が必ずしも賞賛されるわけではない。伝統的な性規範に則った女性像とそこから逸脱する女性表象があり、共感の文化はちょうどその境界線にあるといってよい。

ウルストンクラフト、シャーロット・スミス、マライア・エッジワスらが生きていたのはフランス革命期で、フランスでも、海峡を越えたイギリスでも、保守思想と急進思想がそれぞれの「善」を掲げて論争を繰り広げていた時代である。急進派のウルストンクラフトと保守派のエドマンド・バーク（Edmund Burke, 1729-1797）は、それぞれ反対の陣営に属し、互いに相手が定義する「善」を批判し合っていた。しかし興味深いことに、フランス革命直後の暴力の「過剰さ」について意見は一致していた。メアリ・ウルストンクラフト（Mary Wollstonecraft, 1759-1797）は、一七九二年、ルイ一六世がまさにギロチンで処刑されようとしている混乱期にジャーナリストとしてパリにいた。ロベスピエールの考える「善」が過剰になっていく状況を彼女は自分の目で見て恐怖を感じていた。当初フランス革命に賛同していたウルストンクラフトも、実際に過剰な「善」がふるう暴力性を直視して、この価値を留保する必要を感じた。急進思想家が保守思想を支持するのは、過剰を批判するからであり、そのことはウルストンクラフトの『フランス革命の起源及び発展に関する歴史的・道徳的考察』(*An Historical and Moral View of the Origin and Progress of the French Revolution*, 1794) からも見て取れる。*20

このような宙づりの議論は、ハンナ・アーレントの「絶対善は絶対悪より危険が少なくはない」という主張と重なり合う。より具体的には、國分功一郎の『中動態の世界——意志と責任の考古学』が展開する優れた議論を参照されたい。「善」がなんであるかを狭い視野で決めつけること、それが過剰になり他者を抑圧するという暴力に発展しうること、これらが危険であると警鐘を鳴らしたアーレントの立場について、國分は明快に論じている。アーレントは、「他人とともに苦悩する同情の感情こそ徳であり善」で「逆に利己主義こそ社会がもたらした悪徳であり悪である」というロベスピエールの「確信」に根本的な異議を呈した。*21 そして、『中動態の世界』で紹介されているアーレントによるメルヴィル『ビリー・バッド』の読み解きにおいても、主人公ビリーの「過剰な善」がいかに暴力的であるかが示されている。受動と能動の対立の外にある〈中動態〉という概念は、「正しい答え」を留保しようとするキーツの〈ネガティヴ・ケイパビリティ〉とも響き合うのではないだろうか。

ロマン派詩人のサミュエル・テイラー・コウルリッジ(Samuel Taylor Coleridge, 1772-1834)のお気に入りの比喩を用いるとすれば、ケアとは、「人の精神は羅針盤であり、外界のすべての本質的なものの法則や働きは、その針のぶれとして示される」*22、そういう心の状態をじっくり見極めることである。「ケアの倫理」は与えられたシチュエーションにおいて人間がいかなる葛藤を感じ、そこからどのように行動するかについて考えていく方法論である。コウルリッジの言葉にも〈中動態〉に通じる精神が宿っている。

私たちが何を行い、何を知るにせよ、動物と種類を異にするものはすべて、それ自身を信じ、信頼するという理性の決断を源としています。このこと、すなわち信じるという理性の最初の行為は、それ自身が在るということと、ほとんど同じことなのです。[*23]

ここで言及される「理性」とは、一般的に理解される理性とは異なり、感受性や想像力を含むものである。彼にとって人間の精神活動とは、「在るということ」、そして動態的なもの、すなわち〈生〉の営為そのものである。[*24]

この序章では、筆者がケアの倫理論と出会うまでの経緯と、文学作品のなかに描かれる〈ケア〉こそが、他者を阻害し、犠牲にしてまでも〝自立した個〟の重要性を掲げる近現代社会が軽視してきた価値ではないかという問いを提示した。強さと弱さ、理性と共感、あるいは自立型の自己と依存型の自己のあいだに、いまだ言語化されない不可視のものを見出すことはできないだろうか。以下の各章は、ここでの議論どのように響き合っているだろうか。

1章　ヴァージニア・ウルフと〈男らしさ〉

1. 病気になるということ

そう、ラムジー夫人の包容力、守護力はそれほどまでに強く、他人を思うあまり、これが自分だと言えるようなものは欠片も残っていないほどだった。すべてが惜しみなく与えられ、使い尽くされる。*1

『灯台へ』(*To the Lighthouse*, 1927)に登場するラムジー夫人が体現した「家庭の天使」は、ヴァージニア・ウルフの母親ジュリア・スティーブンをイメージして書かれたという。この作品が彼女の死をテーマにしていることからも、ウルフの母親への哀悼歌《エレジー》と考えることもできる。「哀悼歌」という表現はスペイン風邪大流行の犠牲者たちを連想させる。つまり、二〇世紀初頭といえば、今私たちがコロナパンデミックで直面しているように、感染症が死をもたらす現実を人々が生きた時代であった。ウルフの代表作『ダロウェイ夫人』(*Mrs. Dalloway*, 1925)の舞台も、スペイン風邪大流行から五年後の一九二三年に設定され、少なからずジュリアを彷彿とさせる主人公のダロウェイ夫人も、じつはその病に罹っていたことが暗に示されている。ウルフの母親の死がインフルエンザに起因する心不全によるもので、『ダロウェイ夫人』の中では死を弔う鐘の音が繰り返し鳴り響いていることも特筆すべきだろう。[*2]

『灯台へ』の主要登場人物はウルフの両親がモデルであり、伝記的要素の強い作品である。ラムジー夫人の夫で自己顕示欲の強い哲学者ラムジー氏も、ウルフの父親で哲学者、文芸評論家のレズリー・スティーブン（Leslie Stephen, 1832-1904）のイメージと重なる。ラムジー夫人の家庭の天使像は、子どもたちの要求に耳を傾け、夫のケアに奔走し続けたウルフの母親の精神世界を映し出している。長らく病人であった母マリア・ジャクソン（ウルフの祖母）を看護していたジュリアにとって、家族の世話をするというケア提供は日課でもあった。[*3]また、彼女は『病室の覚え書き』（*Notes from Sick Rooms*, 1883）を出版するなど、看護に深い関心を寄せていた。ウルフは、女性にふりかかるさまざまな問題を考える上で、母親から多くを学びつつ、同時に、その生き方を反面教師にもした。

二〇二〇年に始まったコロナウイルスのパンデミックの世界には、ラムジー夫人（あるいは、ジュリア・スティーブン）のように毎日誰かのケアに追われて疲弊する人々が数多くいるのではないだろうか。コロナ禍により想定外の需要に直面している医療介護従事者たちにも、かつてないほどの重圧がかかっている。そして、その影響は男女間で大きな差がある。全世界の医療現場でも、医療従事者のほぼ七〇パーセントは女性で、その彼女らは感染に晒されるリスクが高い。また、長期介護施設の労働者も女性が大半を占めており、OECD諸国平均で九〇パーセントを超えている。[*4] 外出制限措置や学校、保育施設の閉鎖により、家事などの無給労働の需要も高まり、専業主婦（夫）はもとより、共働きの女性やシングルマザー（ファーザー）への皺寄せは、もはや看過できない社会問題となっている。

ここ二〇年で目覚ましく拡大したケアリングを含むサービス産業（コールセンターや介護サービスなど）でも、女性が大多数を占めている。さらにその職務内容には《感情労働》が含まれ、精神的にも過酷な搾取の状況を生み出しているという。[*5] そういう背景もあり、資本主義社会の仕組みのなかでは、他者を「ケアする」という価値を手放しで推奨することができなくなっている。もちろん、ケア従事者の職業によって、期待される「ケア」の程度は異なるだろう。たとえば、看護師は医療の実践の他に職務の内容として感情労働が大きな位置を占める。ファミリー・レストランやコンビニの店員と違い、看護師に求められるのは、表面的な笑顔や「思いやる仕草」ではなく、「本物の笑顔」や「心からの思いやり」であることが多い。患者に対して怒りや屈辱を感じたときには、深呼吸して気持ちを鎮め、患者の状況を考えて無理もないと思わなければならない。看護師にとっての職業倫理と考えられているものの多くが、たとえば「患者に対して「共感的」でなければばなら」ないなど、感情に関する規則となっている。[*6] 女性が病人を「看護」するものだという社会のステレオタイプは、日本の看護師の九割以上が女性という事実からもうかがえるだろう。[*7]

ウルフの母親ジュリアは、この「看護」という「使命」をまっとうした。[*8] その母親の死後、ウルフは彼女を思慕しながらも、人をケアしなければならない、喜ばせなければならないと囁く「家庭の天使」の亡霊に取り憑かれ、苦しめられた。家庭の天使は「私を悩ませ、私の時間を無駄にし、私をたいへん苦しめたので私はとうとう彼女を殺してしまいました」と書いている。[*9] そして、文芸の仕事に就いていた父のように、女性でありながらも文学の世界を探求した。周りに気配りをする穏やかなラムジー夫人の「女らしさ」と大学も世間も彼を「必要としている」著名な哲学者ラムジー氏の「男らしさ」の両方に、画家志望のリリー・ブリスコウの感受性の強い魂は影響を受け続けた（『灯台へ』、五〇―五一頁）。しかし、リリーは、いずれかの価値を絶対的なものとしては捉えず、ラムジー夫妻の言動、あるいは印象を咀嚼し、思索することによって、徐々にではあるが、自分の迷いを解いていく。ウルフにとって――そしておそらく多くの女性にとって――重要なのは、自立するという「男らしさ」を捨てずに、「負の男らしさ」[*10] を抑制することだろう。ウルフがリリー・ブリスコウに自分をもっとも重ねたのは、職業をもち経済的な自立を目指そうとする姿勢であろう。「家庭の天使」として家族のためだけに生き、自分らしさを表現できないことの苦しみを芸術家のウルフも、そしてリリーも、骨身に染みて理解していたからだ。ウルフの『自分ひとりの部屋』というエッセイのタイトルには、経済力とひとりになれる物理的な空間を手に入れることが女性にとっていかに重要かという意味が込められている。

ウルフにとって、たしかにこの家庭の天使は「過度に同情心があり」、「無私無欲」である女性を具現する点において呪われし存在であったが、彼女もまたリリーのように、この二極の間を揺れ動いていたことがうかがえる。そしてその葛藤は、時代が下って今日にいたるまで、そのままフェミニズムの論争の中核をなすこととなった。一九六〇年代の第二波フェミニズムの運動を経て、数多くの女性が家庭の天使の役割を否定し、「男らしさ」を追求するようになる。ただし、ジェンダー研究において「女らしさ」と結びつけられるケアの倫理が根絶やしになったわけではない。

一九八二年にキャロル・ギリガンは、「ケアの倫理」を提唱することによって、「ケアすること」「思いやり」「共感」「関係性」という価値を新たな文脈において再評価した。[*11] その後、この理論に対する意見は二分する。否定的な意見としてたとえば、フェミニストのキャサリン・マッキノン（Catharine MacKinnon, 1946-）は、ケアの倫理を男性に好都合な女性観に女性みずから一体化する態度として厳しく批判している。[*12] しかし、この倫理が正しい文脈で用いられれば、さまざまな問題を解決する糸口にもなる。たとえば、政治の舞台で活躍する世界の女性リーダーたちは、コロナ禍の状況でケアの倫理の強みを見せつけている。ドイツのアンゲラ・メルケル首相、ニュージーランドのジャシンダ・アーダーン首相、フィンランドのサンナ・ミレッラ・マリン首相たちは、ケア性に富んだ政策を導入すると共に、思いやりに満ちていながらも力強いメッセージを送り続け、国民を連帯へと導いている。

このように、女性たちが男性の領域とされてきた政治にも乗り出したことによって、着実に世界は変わりつつある。科学、医療、法曹界、ビジネス、スポーツなど、女性のキャリアの可能性が多様に広がり、経済的、精神的自立を勝ち得ることができるようになったのも事実である。世界の統計を見ると看護師やケア従事者はまだまだ「女性」の職業であるが、女性だけの専売特許というイメージも少しずつうすらいできており、過去一〇年間で男性看護師の割合が増加したという報告もある。ただし、日本の男女格差問題は深刻で、二〇二〇年のジェンダーギャップ指数ランキングでは、先進工業国のなかでもかなり低い地位（一二一位）という残念な結果であった。[*13]

ギリガンのケアの倫理は、男性もケアを実践してよいという後押しでもある。アーダーン首相やマリン首相らの政治のケア性が、ある意味でマッチョな政治のあり方を問い直しているのだとすれば、一九世紀には、女性作家たち――ジェイン・オースティンやジョージ・エリオットら――が文壇で大車輪の活躍を見せ、同様の役割を担ったといえる。ウルフの『自分ひとりの部屋』は、まさにそれを克明に記録した著作でもある。従順で主体性を欠く家庭の天使を目の敵にしたウルフだが、逆説的に、何世紀にもわたって看過されてきた女性性の価値を、自立心や正義を掲げる男性性の価値にも匹敵するものとして評価したのも彼女である。ウルフがもっとも強調するのは、共感や思いやりは女性だけが請け負う価値ではなく、男女両性による実践こそが負の「男らしさ」に縛られてきた文化を手放す方法論であるということ。すなわち、他人の感情に流されたり、家庭で子どもをケアする力を発揮したりする男性を「女々しい」と決めつけてきた性規範から解放される未来をも示唆している。反対に、女性にも自立した生き方を選ぶ権利が与えられるような寛容な文化が醸成されれば、いずれこの本質主義《エセンシャリズム》から脱却できるだろう。そう言いたかったに違いない。

ヘンリック・イプセン（Henrik Johan Ibsen, 1828-1906）の戯曲『人形の家』（*Et Dukkehjem*, 1879）は、ヒロインに父や夫の本質主義的なまなざしを突き止めさせ、それを暴露する作品である。主人公のノラは女性から自立心、行為主体性を奪うような不寛容な文化の犠牲となっていることに気づいていく。家庭に浮上する問題を「男」「家長」である自分が解決しなければと思い込む夫のヘルメルは、ノラが役に立とうとしていても彼女を大人扱いしない。そして、ノラは我慢できなくなり、夫と子供たちを残して家を飛び出してしまうのである。

そもそも、なぜこのような男女の性規範が生まれ、それにふさわしいとされる倫理観が序列化されてしまったのだろうか。一九世紀の感情史を振り返ると、近代哲学の祖ともいわれるイマニュエル・カントによってこの思い込みの種はすでに蒔かれていた。カントにとって「良い」感性とは、適切な判断を伴う「男性的」なもので、それは今でいう正義の倫理である。そうでない感性は「軟弱であり子供じみ」た女性的で悪い感性で、「他人の状態に同情してしまい」「ただひたすら受け身に」影響されるばかりだという。*14 つまり、のちにギリガンによってケアの倫理として再評価されることになる感情がカントによって、「軟弱」なものとして予め否定されていたのだ。たしかに、「共感」が、受動性、あるいは主体性の欠落に結びつけられた場合、この資質は女性の「幼児性」や「判断力の欠如」というネガティヴな感情として理解されてしまうだろう。『人形の家』のヘルメルはいわば、カント的なジェンダー観をもつ人間であり、女性はみな弱くて子供じみた存在であるという思い込みに支配され、ノラに愛想を尽かされてしまう。

大人の女性を、幼い存在、かわいいものとする見方は保守派のエドマンド・バークによって「美」として定義された。急進派のウルストンクラフトは『人間の権利の擁護』(*Vindication of the Rights of Men*, 1790) では、主にバークの『フランス革命の省察』(*Reflections on the Revolution in France*, 1789) に対する反論を行っているが、実は『崇高と美の観念の起源についての哲学的探究』(*A Philosophical Enquiry into the Origin of Our*

Ideas of the Sublime and Beautiful, 1757）でバークが示していた女性観をも批判していた。バークは美の性質を「小ささ」「弱さ」「滑らかさ」といった女性の身体的特徴に見出し、その「美」が人の心に生じさせる「愛」という感情が問題を孕むことを鋭く指摘した。梅垣千尋によれば、ウルストンクラフトがバークの美学を批判するのは、「女性が男性の嗜好性のニーズに応えて、ひたすら愛の客体となることを余儀なくされる」からであり、「バークの想定する「愛」とは男性だけにその主体を限定したうえで、客体となる女性の側」が犠牲を被ることとなる。*15

現代においても、女性に小ささやかわいらしさという性質を要求する言説は蔓延《はびこ》っている。その典型例として挙げられるのは、テニスの大坂なおみ選手が二〇二〇年の全米オープンで警官による黒人への暴行に抗議する「ブラック・ライヴズ・マター（ＢＬＭ）」に賛意を示したときのスポンサー企業の態度である。大坂選手は、七人の黒人犠牲者の名前を刻んだマスクを着けて試合に登場し、果敢に闘って優勝トロフィーを手にした。*16 スポンサーの日清食品グループは、この勇敢な大坂選手に敬意を表すどころか、彼女のその政治的行為を些末化した。日清は、「原宿が好きな大坂さんはいつもおしゃれな姿を披露していて、流行を取り入れた自分らしいスタイルが魅力的」というコピーを添えた「カップヌードル」の広告を制作し、ＳＮＳ上で公開した。しかし、「大坂さんのことを好きになってもらえたら勝ちだなという結論にたどり着いたので、かわいい情報を置いておきます」

というSNSの投稿がなされると、「かわいいって古い」「大坂選手の考えに沿ったプロモーションにするべきだ」といった批判が多く寄せられた。[*17]「好きになってもらえたら」や「かわいい情報」という、女性を故意に幼児扱いする表現は――とりわけ今回のように当事者の意図に反している場合――明らかに不快感を与える行為である。

感情史の専門家であるウーテ・フレーフェルトによれば、女性をある性規範に閉じ込めようとする近現代の文化が醸成された背景には、「情念《パッション》」と「情動《アフェクト》」のジェンダー化があるという。男性の身体には、強くて深い感情に耐えうる「耐性」があるため、競合相手と闘う力や苛烈な「情念」という感情を長く抱え込むことができるが、女性の「か弱く繊細な神経」には同程度の強さが備わっておらず、先天的に穏やかで優しい「情動」の持ち主であるという先入観が生まれてしまった。[*18]おそらくこの二項対立は、カント的な「男らしい」理性と「女らしい」情操に矛盾しないだろう。いかなる強度の情念もマッチョな理性があれば耐えうるという理屈である。感情は「男らしさ」か「女らしさ」かの二分法によって理解されなければならないという本質主義《エセンシャリズム》的な決めつけ文化が、少なからず人の、あるいは企業の態度に今でも影響を及ぼし続けているということがわかる。

大坂選手の勇敢な選択もそうだが、じっさいに人の心を打つふるまいには、男性的感情（＝強さ）と女性的感情（＝優しさや弱さ）が矛盾しながらも同居するような〝両性具有的〟なものが多い。黒人の犠牲者の名前を刻んだマスクを着けて試合に登場した大坂選手の行動は、男性的な苛烈な情熱と女性的な共感や思いやりを兼ね備えた両性具有的な感情によって支えられていたといえないだろうか。ケアの倫理は、抽象的な理念ではなく、目の前の状況を敏感に感じ取る能力、生き物に対する気づかい、真の共感を要する倫理でもある。正義論者が「たんに一律に平等な権利を認めるだけでは、この平等は現実の差異を隠蔽して、結果的に、弱者にたいする不正義ともなりかねない」と品川哲彦は指摘する（品川哲彦『正義と境を接するもの』、二五頁）。なんらかの点で傷つけられやすい立場にある存在者——子ども、病人、障害者、人種差別を受ける人たち、そして動物——の目の前の苦しみ。それを感受し、行動した大坂選手は、この倫理の実践者ともいえる。現代社会では、女性というものは（ラムジー夫人のような）「柔和な存在であるべき」、あるいは「政治的な発言を控えるべき」とステレオタイプ化されている。ウルフの両性具有的な感情は、ジェンダーの価値が分断されている今の社会に向き合うためのヒントを与えてくれるのではないか。男女二分法の考え方をはやくも脱却していたブルームズベリー・グループに属していたウルフは、自身もバイセクシュアルだった。このような要素も彼女のジェンダー観に大きな影響を及ぼしていただろう。

本章では、ウルフの『灯台へ』『自分ひとりの部屋』『オーランドー』（*Orlando: A Biography*, 1928）、そして同時代のドイツ人作家トーマス・マンの『魔の山』（*Der Zauberberg*, 1924）といった作品がいかにケアの倫理に基づいたエンパワメントにつながるのか、その語りの手法を分析することで考察したい。そこには繰り返し立ち現れるテーマがある。価値が宙づりされるネガティヴ・ケイパビリティ、カイロス的時間感覚、そして両性具有性である。ものごとを単線的に捉え、あるいは決定論的に真理を求める声ではなく、リリーの波の如く揺れる声のように、人間が与えられた環境で迷いながらも最善の道を模索していくプロセスを肯定する作品の魅力に迫りたい。

2. 負の「男らしさ」を手放す

ウルフが一九二六年に発表したエッセイには「病気が愛や戦いや嫉妬と同程度に文学の主要テーマになっていないというのは、いかにも奇妙なことである」と書かれている。*19 しかし、じつはその二年前に病小説とも呼べる『魔の山』がトーマス・マンによって書かれていた。ウルフがマンのこの小説を看過していたことは極めて驚くべきことである。なぜなら『灯台へ』の精神世界と『魔の山』の精神世界は互いに共鳴しているかに思えるからである。『魔の山』は、たまたま病気療養中の従兄を山のサナトリアムに見舞うことになり、そこでさまざまな価値観に触れる青年ハンス・カストルプの物語である。市民社会の義務や責任から解放された病気と死の世界でハンス・カストルプが出逢う人々は、決して無力で不活発ではない。むしろ彼らは圧倒的な熱量で議論を交わすのである。とりわけ思想的に対立するセテムブリーニとナフタ——は自分たちの理念や思想について弁舌をふるい、傍観者然としている若者ハンス・カストルプを自分の世界観に引き入れようとする。一九世紀的な革命的、民主主義的な正義を「男らしい」価値として振りかざすのはセテムブリーニで、その彼のヒューマニズムをニヒリズムの観点から嘲笑するのはナフタである。

観察者としての立場を貫こうとするハンス・カストルプは、『灯台へ』のリリー・ブリスコウを彷彿とさせる。それは、彼がたんに二項対立の価値観の間で揺れ動いているからではない。この饒舌家たちのいずれにも加担せず、価値を宙づりのまま保持する点でも似ている。セテムブリーニとナフタが自分の精神世界の優越のため、あるいは大義や理念のために命を賭して対立することを、ハンス・カストルプは無意味なことと考えている。

同時代に書かれた小説であるから驚くことではないかもしれないが、トーマス・マンもヴァージニア・ウルフも、「男らしさ」というものを一九二〇年代ヨーロッパの世界観的な思潮に重ねつつ、戦争というテーマも浮かび上がらせている。

『魔の山』でそれがもっとも顕著にみられるのは、セテムブリーニとナフタが決闘を決める場面である。ハンス・カストルプは「精神的なもの」の対立を「肉体と肉体との闘争による解決へ仮借なく追いこむ」という考えに「反撥した、もしくは、反撥しようとした、——そして、それができないことを知って愕然とした[*20]」。抽象的なものをめぐって命を危険にさらす敵対関係、つまり決闘は避けるべきであるとハンス・カストルプは必死で説得するが、セテムブリーニはこう言い返す。

抽象的なもの、純粋なもの、理念的なものは、同時にまた絶対的なものです、したがってまた、ほんとうにきびしいものです、そして、これこそ社会的生活よりもはるかに深刻に過激に、憎悪を、絶対的な妥協のない敵対関係を生じさせる可能性を宿しているのです。（中略）決闘は最後の最後のもの、自然の原始状態への復帰です（中略）。男はだれでも、どんなに自然の状態から遠ざかっていても、いつでもその局面に応じられるように用意をしておくべきです。（トーマス・マン『魔の山』（下）、六二〇頁）

社会的生活を蔑ろにしても、理念のために自分のすべてを懸けることが「男」であると考えるセテムブリーニのその思想に対して、ナフタのみならずハンス・カストルプは懐疑的になる。「正義はそんなに讃美するだけの概念だろうか？　神聖な概念だろうか？」（同、六〇五頁）というナフタの言葉を耳にするハンス・カストルプ、そして我々読者は、「男らしさ」の弊害を意識することだろう。セテムブリーニがどれほど素晴らしいヒューマニズムを語っていたとしても、目の前にいる人間の（あるいはおのれの）命を危険にさらしてまで正義を貫くことは愚かであるというメッセージが、視点人物の声を通して伝わってくる。それによって、マンは、対立や抽象的な大義を人間の上位におくことに警鐘を鳴らしているのだ。

マンが示したような負の「男らしさ」、つまり「敵対」や「分断」は、ウルフにとって単なる「自己中心主義《エゴティズム》」にすぎない。[*21]「家庭の天使」という概念を殺すだけでは女性は解放されないということをウルフは繰り返し強調していた。彼女は「家庭の天使」を批判しながらも、だからといって、女性に負の「男らしさ」を身につけよと呼びかけてはいない。

もちろん「男らしさ」と名づけられるもので女性も身につけるべきとウルフが考えていた性質もあった。それは『ある協会』でも強調される〝主体性〟である。片山によれば、ウルフは「すでに出版され流通している本を読むこと、男社会を読むこと」、つまり単に「受動的に情報を受け取るのではない主体的な生き方」を奨励している（片山亜紀「訳者解説」、『ある協会』、四四頁）。彼女は、他方で負の「男らしさ」、すなわち弱者を虐げる独裁的気質、他国を占領し、支配しようとする帝国主義の問題があることに気づいていた。戦争、女性、平和をめぐるエッセイ『三ギニー』（*Three Guineas*, 1938）で、ウルフはおのれの大義のためではなく、男女両方が協力して生きていくことに尽力しなければならないと述べている。

「私たちの主張は、女性の権利のみの主張ではありません。」――とジョゼフィン・バトラーは話しています――「それはもっと大きく、もっと深かったのです。それはすべての人びと――すべての男性と女性――の正義、平等、自由という大原則により個々の人を尊重する権利のための主張なのです。」（『三ギニー』、一五三頁）

ジョゼフィン・バトラーというのは、ウルフが心から尊敬したフェミニズム運動家である。バトラーが女性のためだけに活動を主導したわけではないと指摘することで、ウルフ自身も男女が協働して、負の「男らしさ」や戦争に対抗することができると考えた。「独裁者に反対する」こと、また「万人のための平等の権利という民主主義の理想を保証すること」の大切さを説き、それが結果的に戦争を未然に防ぐことに繋がると、ウルフは主張している（同、一五一頁）。他国を支配下に置こうとする序列的思考、あるいは人種的マイノリティを社会から排除しようとする差別意識は、女性や小さき者を従えようとする家父長的価値観を孕んでいる。リリー・ブリスコウがラムジー氏を、「頭はご自分のことでいっぱいだし、横暴なところがあるし、理不尽なことばかりする」（『灯台へ』、六一頁）人間であると考えていることは、負の「男らしさ」でもある「自己中心主義」へのウルフの反発として捉えることができる。ウルフは『自分ひとりの部屋』で、「女性にとって価値があるもの」と「男性によって価値があると決められてきたもの」は食い違うと指摘している。彼女は、「幅を利かせているのは男性の価値観」であると述べ、『ジェイン・エア』をはじめとするシャーロット・ブロンテの作品に表出する「男性によって価値があると決められてきたもの」は小説の質を損なっているという。ブロンテの才能を認めながらも、彼女の「怨恨」「敵対」といった苛烈な感情を批判する。

抑圧の結果として辛辣になっているのがつねに感じられる一方で、情熱の下で苦しみがくすぶっているのが、素晴らしいはずの作品〔引用者注、以下同：『ジェイン・エア』〕が怨恨の発作でときおり苦しげに収縮するのがわかります。〔中略〕女性にとって価値があるものは、男性によって価値があると決められてきたものとはしばしば明らかに食い違っています。*22

ここでは、『ジェイン・エア』において「女性にとっての価値」が不足していることを批判しているのだ。

アーダーン首相やマリン首相が、男の領域とされてきた政治にも「共感」という「女性の価値観」を持ち込み、ケアを重視した政策を進めているが、ウルフも女性の価値を擁護していた。女性が文筆や創作で「男性の価値観」に基づく「敵対」や「憎悪」の感情に依拠する必要はないと考えた。なぜなら序列関係のなかで自分を誰かの上位に押し上げようとする自己中心主義は対立や憎悪を生む。そして、それは女性的な価値観ではない。とはいえ、ウルフは下位の立場からの「反抗心」と「共感」には寛容な立場であった。「地上に住むこの夥しい人びとがどのくらい反抗心を醸成しているか、だれもわかっていないのだ」と述べ、それを克服する方法として、「共感」（対立ではない）――女性の苦しみを伝えること――を選んでいる。「女はあまりに制限が厳しく、あまりに停滞が甚だしいために苦しんでいるが、男だって同じ境遇だったら同じように苦しむだろう」（ヴァージニア・ウルフ『自分ひとりの部屋』、一二二頁）という文章は、女性の境遇について男性に共感してもらおうとする、あるいは感情移入を促す一節である。また、「男たちは同じ人間でありながらより特権に恵まれている」にもかかわらず、無思慮にも「そのくらいで満足していなさいと言う」。ウルフはそれがいかに偏狭な態度かを感じてほしいのである（同、一二二頁）。

ウルフは男女の序列関係を、健康な人間と病人の関係性に置き換え、同じ目線からの「共感」ではない、すなわち上から目線の「同情」を批判する。英語ではいずれも「シンパシー」（sympathy）であるが、ウルフは「共感」と「同情」の意味を区別して用いている。エッセイ「病気になるということ」（On Being Ill, 1926）でも横臥する（horizontal）病人と直立する（vertical）健康な人々を対比させながら、後者の「親切そう」な「見せかけ」の同情がいかに前者を辟易させるかを暴露し、この序列関係を解体するのである。ウルフが「同情」という意味の「シンパシー」を揶揄するのも、序列構造を良しとしないからである。

ルネサンス期からヴィクトリア時代にかけて支配的だった厳格すぎる性規範――男らしさと女性らしさを二分する道徳観――がもたらした弊害を、芸術家のウルフは両性具有的な精神を作品に宿すことによって乗り越えようとした。彼女は、同様に両性具有的な精神を作品に注ぎ込んだ男性作家として、シェイクスピア、サミュエル・テイラー・コウルリッジらの名前を挙げている。これらの文豪たちのなかに、ロマン派詩人ジョン・キーツがいる。価値判断を留保する、あるいは二つの価値基準の間で宙づりになることを表す「ネガティヴ・ケイパビリティ」という概念で知られるキーツは、ウルフにとって「両性具有的」であった（『自分ひとりの部屋』、一七八―一七九頁）。ネガティブ・ケイパビリティは、「短気に事実や理由を手に入れようとはせず、不確かさや、神秘的なこと、疑惑ある状態の中に人が留まることができるときに表れる能力[*23]」を意味する。彼らとは対照的に、「ミルトンとベン・ジョンソン」「ワーズワースとトルストイ」は、「少しばかり男性面が過剰」と指摘している。反対に、プルーストにいたっては完全に両性具有でかつ「たぶん女性部分が少し過剰かもしれ」ないという評価を下している。「とにかくその種の混合がなければ知性ばかりが支配的になり、心の他の能力は硬化して不毛になるのですから」

（同、一七九頁）と男性作家が作品で多少過剰に示す女性性の価値に対してはむしろ高く評価しているような書きぶりである。もしウルフが『魔の山』を読んでいたら、「男らしさ」に拘泥するセテムブリーニを批判するハンス・カストルプの物語は「完全に両性具有です」と書いただろう。

キーツのネガティヴ・ケイパビリティ、価値の宙づり、両性具有性という考え方は、ジョルジョ・アガンベン（Giorgio Agamben, 1942-）の、複数の可能性について「宙づりのままに保持されてある」という「開かれ」の概念に連なりうるものだ。[*24] この「開かれ」は、啓蒙思想的な文脈での「ヴェールを剝ぎ取られたもの」という啓かれた境地ではない。[*25] つまり、科学が探究する決定論的な真理、あるいは政治理念が単線的に追求するような目的へと開かれているという意味ではない。この点において、『灯台へ』のリリーの芸術的なヴィジョンとも近接性のある考え方である。

3. カイロス的時間の能動性

『灯台へ』という小説のプロットをもし時系列に並べ直して説明するとすれば、取り立てて何も起こらない物語――英語で表現するなら“uneventful story”――なのである。スコットランド沖のスカイ島の別荘を舞台にして語られるラムジー家のある夏の一日とその後一〇年という長い歳月を経て、また別の一日が語られる。そして、小説の最も大きな出来事、つまりラムジー夫人の死はこの二つの時間の間に起きている。二日間という短い時間のなかで、複数の登場人物の内面に去来する回想、空想、願望、改悛などが、波のように打ち寄せては引き、何度も現在、過去、未来を行き来しながら語られる。またその語られる声が、ある登場人物の主観からまた別の登場人物の主観へとどんどん移行し、それぞれの内面世界で繰り広げられる思索の活発な運動が生々しく語られる。つまり、出来事として重大なことが起きなければ、それは「受動的」であるとする先入観が打ち破られ、代わりに想像力における「能動性」に価値が与えられるような、そういう小説である。

ウルフはなぜこのような書き方を選んだのだろうか。それは、先述した、なんらかの点で傷つけられやすい立場にある存在者、つまり物理的、精神的に苦痛を強いられるような立場の人間に寄り添う視点を立ち上がらせるためである。「直立人」と「横臥者」は人間の序列関係を表す究極の隠喩《メタファー》なのである。上から目線の「見舞客」や「看護者」に対して批判的な眼差しを持っていたウルフは、常に看護される側の、つまり横臥者の立場について思いを巡らせていた。彼女自身が一九一五年、一六年、一八年、一九年と、何度もインフルエンザに罹っていたことも大きな要因だろう（Outka, p.104）。生涯の大半、看護者でケア提供者であった母親ジュリアとは異なる、病人側の視点である。看護者の自負を持っていた母親は常に「身体的なケア」を重視した。それは長い病床生活によって神経が過敏になりすぎる病人がまたさらに想像力（空想力）を逞しくして神経症になることを防ぐためである（Coates, p.4）。彼女は身体の病状の改善に集中させることによって、病人が内的世界に没入しすぎないようケアした。ウルフが「病気になるということ」というエッセイを書いたのは、母親ジュリアのこのような〝看護道〟なるものに物申すためであった。ウルフは、病人が看護者の助けなくしては無力であり、何もできないという前提を覆した（この点でも、トーマス・マンの小説世界と共鳴している）。彼女は神経が過敏になり想像力が飛翔する横臥者の内面こそ、その精神的、あるいは質的豊かさの表れである、という議論を展開するのである。

アガンベンは、連続的進行のクロノロジカルな時間とは別の、経験と質的な変容を伴った時間感覚を「カイロス」という言葉で表現した。計測される客観的な「クロノス的時間」にたいして、「カイロス的時間」は身体を伴って経験する主観的なものである。アガンベンによれば、近代科学が切り開いた認識、あるいは計算可能な時間感覚は、「経験を可能なかぎり人間の外に、つまりは道具と数のなかに移し換えていく」ような営みである。*26 そもそも「経験」というものは確実性や数値化とは相容れないものであるとアガンベンはいう。にもかかわらず、科学や合理性は、あるいは資本主義システムは、いかなるものも計算可能な、数値化できる価値へと変えてしまうのだ。

まさにそのような実践が、現代の最低賃金労働の現場で行われている。そう証言するのは、アマゾンの倉庫、訪問介護、コールセンター、ウーバーのタクシーといった仕事に自ら就いてその体験を赤裸々に報告したジェームズ・ブラッドワースである。『アマゾンの倉庫で絶望し、ウーバーの車で発狂した』というルポルタージュでブラッドワースが詳らかにしたのは、カール・マルクスやジョージ・オーウェルが予言したような管理社会の世界であった。彼が潜入したアマゾンの巨大な配送センターでは、「オーダー・ピッカー」は、午前のあいだずっと倉庫内の薄暗い通路を行ったり来たりして棚から取り出した商品をトート（プラスティックの箱）に入れて運びつづける。平均的なピッカーの午前中の労働時間を収入に換算すると約二九ポンドになる。[*27] 契約社員はみな正社員を意味する「ブルーバッジ」を手に入れるために身を粉にして働くのだという。ブラッドワースの同僚クレアからヒアリングした逸話によれば、彼女の友人は九ヵ月という契約期間の終わりに近づくにつれ、その「ブルーバッジ」への期待に胸を膨らまし、「本から台所用品まで、何十万もの商品をアマゾンの顧客のために棚から取り出した」。しかし、その無理がたたり、病気になってしまったのだ。彼は「規則にしたがい、始業の1時間前に会社に電話し、マネージャーに風邪を引いたことを知らせた。しかし、そんなことにはなんの意味もなく、彼は派遣会社にクビを言い渡されたのだった」（ジェームズ・ブラッドワース『アマゾンの倉庫で絶望し、ウーバーの車で発狂した』、五六頁）。

ブラッドワース自身もアマゾンに雇われている間に病の経験をしている。彼曰く、「病気で休むと1日分の給料を失った。すると生活の貧しさに拍車がかかり、さらに体調は悪くなった。アマゾンがそんなことを気に留めている様子はなかった。（中略）いかなる種類の病気であれ、家で寝ていた者は罰を受ける」（同、五七頁）。この後に綴られる、ブラッドワースの「カイロス的」な描写は、生産性を時間に換算する企業側の「クロノス的」な時間感覚と対比すると、興味深い。後者は、生産性のない人間の価値を数値化し、給料を「0」と算出した。ところが、彼の経験に基づいたカイロス的な視点は、彼の想像力のなかでたとえば、上から目線のマネージャーを自在に変容させる。このようなブラッドワースの現代社会に対する批判の眼差しは、身体的、精神的経験が資本主義システムによって無力化されることを暴いている。『ブルシット・ジョブ――クソどうでもいい仕事の理論』でデヴィッド・グレーバーが指摘していることとも響き合う。グレーバーによれば、「すべての労働はケアリング労働だとみなすこともできる。というのも、たとえば橋をつくるのであっても（中略）つまるところ、そこには川を横断したい人びとへの配慮《ケア》があるのだから」。マネージャーのケアリング労働は本来同僚への配慮から成り立つのではないだろうか。[*28]「ひとたび計算可能で確実なものとなってしまったなら、そのときにはその経験はただちに権威を失ってしまう」（『幼児期と歴史』、二八頁）というアガンベンの言葉を連想させるような事例である。

　じつはこのような「カイロス的時間」を肯定する語りは、ウルフの小説で実践されていた。[*29]カイロスもクロノスもいずれもギリシア語で、「カイロスは宿命あるいは神意によって配剤され人間に決断的応答を要求する決定的時点」であり、「定量的時間を意味する」クロノスとは対照的な意味をなす。[*30]ウルフが時系列で進む物語をあえて描かなかったのは、資本主義社会が前提とする定量的時間や物質世界の下位に置かれる人間のカイロス的想像世界というヒエラルキー的関係を転倒させるためではないだろうか。読者がもっとも心動かされるのは、生産性のない、あるいは行動が制限されている弱者の内面世界でどれほど多様で豊かな想像力が繰り広げられているかが示されるときである。女性でありながら画家をめざすリリー・ブリスコウはウルフを彷彿とさせる。彼女は誰よりも共感する力があり、様々な登場人物、とりわけラムジー夫人の「家庭の天使」としての苦労に寄り添うことのできる人間だ。彼女のカイロス的時間がその語りに顕在化される箇所を引いておこう。

人生とは無数の小さな出来事から成り、人はそれを一箇ずつ経験するものだけれど、そうした出来事が巻きこむ波のようになってひとつにまとまる感覚。波にふわりと持ちあげられ、浜辺に打ちつける波とともに投げだされるような……。(『灯台へ』、六一頁)

リリーのカイロス的時間が空間的な「波」という言葉で表されている。晩餐会を主催するラムジー夫人の内面世界も読者と共有され、彼女がいかに会の参加者が会話を楽しめるよう気を配っているかがわかる。ディナーが「潮時」であると判断するのも彼女の役割である。「お開きの時間だわ。みんなお皿に残ったものをつつきまわしているだけ。ひとまず、主人〔ラムジー氏〕の話にまわりがひとしきり笑うまで待つとしましょう」（同、一四〇頁）。夫が自己中心的であることを熟知した彼女の内面ではこのような配慮がなされていた。もしラムジー夫人の外部からクロノス的に語られていたとすれば、おそらく彼女の奥ゆかしさや寡黙さだけが前景化されていただろう。

このように、ラムジー夫人の内面にはカイロス的時間が流れている。「そのなかで存在の流動が脈打っては停止し、ふたたび鼓動を始めては繰り返していく[*31]」、そういうアガンベン的な「開かれ」た、つまり閉じられていない世界が連綿と続いていくような語りである。カイロス的な時間感覚は、身体感覚を媒介としながらも、必ずしも外界の物理的な状況によって支配されない、ある種、スピリチュアルな、あるいは多孔的な自己でもある。『灯台へ』のラムジー夫人の晩餐会も最後は「終わり」を迎えるのではなく、その情景が唐突に雲散霧消する。ラムジー夫人は「戸口に足をかけたところで一瞬立ち止まり、見ているそばから消えていく情景のなかにいま少し身をおい」て、その後「部屋から出てしまうと、情景は一変し、いきおい違う様相を呈しはじめた。肩ごしに、最後の一瞥をなげながら、さっきまでの情景がもはや過去になってしまったことを、夫人ははっきりと感じていた」(同、一四三頁)。ここでは「部屋から出」るという空間移動に言及しながら、「もはや過去になってしまった」という時間経過を示すような、遍在的な自己が存在している。たしかに、ここにはある出来事の明確な「終焉」はなく、晩餐会が閉じられたという感覚もない。読者に向かって開かれた登場人物のカイロス的時間感覚が圧倒的な存在感を放っているのだ。

近代社会の自己を語る際に参考になるのが、チャールズ・テイラーの二つの対照的な自己像、すなわち「緩衝材に覆われた自己」(buffered self)と「多孔的な自己」(porous self)である。前者は、啓蒙期以降に浸透するようになった「自立した個」とも、正義論の自己像ともいえる「緩衝材に覆われた」イメージであり、「自分自身を決して脆弱ではない存在者として、つまり、自らを事物の意味の所持者であると理解することができる」(チャールズ・テイラー『世俗の時代』(上)、四七頁)。他方、後者の「多孔的な自己」は、より緩やかな輪郭をもつ、一個の主体としてではなく、自己がつねに霊性を帯び、それが内的世界と外的世界とを行き来するような、近代では希薄になっている通気性のよい自己である。[*32] この対立は、「内面的な深さ、抑圧された思想と感情のコード化された表現として理解することもできる」(同、四八頁)。

男性であっても、女性の想像世界に入っていくことができ、反対に女性であっても、男性の気持ちを汲み取り、言語化することができるという両性具有能力を説明する際に、ウルフは二人の「男女がタクシーに乗り込む」光景に喩えている。「身体に男女の性別があるように、心にも性別があるのではないか」と訴えるこの箇所は、ウルフの多孔的な自己イメージがもっとも表れている。

男女がタクシーに乗り込むのを見たとき、分割されていた心がまた自然と融合した、とはっきり感じたのです。そう感じた明白な理由は、両性が協力し合うのが自然なことだからでしょう。男女の調和から最大の満足が得られる、もっとも完璧な幸福が生まれるという説に、わたしの本能は深いところで——理屈はつかないとしても——賛同しています。（『自分ひとりの部屋』、一六九頁）

ウルフは、男性の身体は男性性の心を、女性の身体は女性性の心をそれぞれ宿すものだと考えていない。ここでは、自己のなかに二人の男女が内在しているイメージを描きだしている。

奇しくも、ウルフは両性具有の精神を「共鳴しやすく多孔質」という言葉で表現している。また、この多孔的な精神をロマン派詩人のコウルリッジの精神に代表させている。なぜなら彼の「両性具有の精神は、片方の性別だけの精神と比べると、男女の区別をつけない傾向にあ」るからだ（同、一七〇頁）。想像力を飛翔させた彼の詩のなかで、おそらくウルフが注目していたのは、「小夜啼鳥《ナイチンゲール》」（The Nightingale—A Conversation Poem, 1798）だろう。人間の複雑な恋愛感情によってもたらされる憂鬱《メランコリー》に対して、動物が突き抜けた明るさを呈している不思議さを詩に表している。コウルリッジのテーマは、波乱に満ちた人間世界とは異なる次元にいる、鳥の突き抜けた「歓喜」（joy）である。「男」と「女」の修羅場の話や悲話に耳を傾ければ「溜息」が出る。[*33] しかし、詩人は想像力のなかで、恍惚たる忘我の境地でただ歓喜のうち囀《さえず》るナイチンゲールの存在と重ね合わせることができるのだ。後述するが、この世界観はウルフの『オーランドー』にも描きこまれている。主人公は、両性具有的な内面を手に入れ、「男」と「女」の立場から解放された先に、異性愛を超越した友愛を発見している。詩人をめざすオーランドーが「夢みがちで情熱的」な気分で空想に浸るとき、「アザレアの辺りでナイチンゲールの歌が聞こえるかもしれない」と思いを巡らせる場面があるのもおそらく偶然ではないだろう。

4.『オーランドー』における両性具有性

ウルフ文学には、近代社会で忘却されようとしていた多孔的な自己の深い内面世界が描かれている。先述した「タクシーに乗り込んだ男女二人」を内面に宿すような人物がいたとするならどうだろうか。『オーランドー』はおそらくそういう着想から生まれた作品である。もちろん人間の両性具有性という発想それ自体が独創的というわけではない。最初の人間が男でもあり、女でもあるという両性具有の考え方は多くの伝承でも語られてきた。プラトンの『饗宴』のなかでアリストパネスが行った有名な演説がある。それによると、原初の人間たちは、球体の形をとっており、手足が四本、頭は一つ、そして反対方向を向いた二つの顔がついていた。この人間たちは素晴らしい能力と知性が備わっていたため、神々と競合するようになる。恐れと嫉妬から神々は人間を二つに分け、元々男女が組み合わさっていた人間が互いの半身を探し求めるようになり、それが今日でいうところの異性愛となったと説いた。*34

ウルフが『オーランドー』で表現しようとした両性具有の人間は、元々ひとつだった身体が二分されるというプラトン的な発想のものではない。オーランドーというひとりの人物に「男」のカイロス的時間を生きさせた後で、身体を「女」に変身させ、その経験を経て内面が少しずつ両性具有的になっていくというプロセスを描いている。ウルフの内面のなかにオーランドーの内面が入れ子式になった重層的な両性具有性を帯びる小説なのだ。主人公オーランドーは四〇〇年近く生きるが、小説のなかでは一五八六年から一九二八年までの約三四〇年活躍した人生を追っている。エリザベス朝時代に一六歳の感傷的で中性的な美少年オーランドーはゆっくりと時間をかけて成長し、三〇歳のころ深い眠りに落ち、目が覚めた時には女性に変わっていた。そこから女性として経験を積み、一九二八年には三六歳で念願だった詩人となる夢を叶えるのだ。

オーランドーが初めて恋をする相手もまた彼同様に両性具有的であることに留意する必要があるだろう。サーシャ（モスクワからきたロシア大使の親戚筋の娘）は「女らしい」というよりは、中性的な魅力を備えており、遠目にはスケートを楽しむ少年に見え、「ああ、男の子に決まってる――女ならあんなスピードで、あんなに猛烈に滑れやしない」と彼は悔しさに頭を掻きむしっている。[*35]ところが、近づいてみると、サーシャは「女」だった。しかし、中性的な女性に魅了されるオーランドーにも、「男らしい」性質が身についていた。たとえば、ハンサムな若者が現れてサーシャと船倉に消えたときは、「おのが夢にくるまれて、生の歓び、わが宝石、得難き女《ひと》、いかにしてかの女《ひと》を完全に永遠にわがものとするか、しか頭になかった」（『オーランドー』、四四頁）。ウルフにとって、主人公が嫉妬や独占欲に支配される状態は、おそらくコウルリッジが「小夜啼鳥《ナイチンゲール》」で描いた人間の愚かしさでもあった。彼はサーシャをめぐっては、恋焦がれるあまり、婚約者マーガレットを見捨てたり（同、三八―三九頁）、「男」の自己中心主義や所有欲を見せている。

オーランドーは「男」の役割にがんじがらめになりながらも最後には失恋する。憂鬱や絶望を経験したのち、読書と詩作に没頭するようになる。この主人公が、ウルフの友人（同性愛のパートナーであった）通称「ヴィタ」と呼ばれる詩人、作家のヴィクトリア・

メアリー・サックヴィル＝ウェスト（Victoria Mary Sackville-West, 1892-1962）をモデルとしていることは、題名のあとに「V・サックヴィル＝ウェストへ」と付記されていることからも分かる。ただ、数々の場面でオーランドーはウルフ自身とも重ねられている。たとえば、オーランドーの想像力と「文学熱」がある。

この病のゆゆしき症状は幻を現実とすり替えてしまうこと、ゆえに、幸運にもありとあらゆるもの——皿、寝具に下着、家屋敷、従僕、絨緞、寝台など掃いて捨てるほど持っているオーランドーなのに、書物を開くや広大な館も雲散霧消するのであった。（『オーランドー』、六五頁）

『灯台へ』のラムジー夫人の晩餐会の物質世界が雲散霧消するように、想像力に浸るオーランドーも、ひとたび文学の想像世界に没入し始めると「広大な館も雲散霧消する」のである。また、語り手曰く、「人間三十の坂を越えると、思考の時間が極度に助長し、行動の時間は過度に短縮する」（同、八六頁）。オーランドーの内面世界における時間の伸び縮みは次のようなカイロス的視点から表現されている。

時は動物植物を呆れるばかりの規則正しさで花咲かせ衰えさせるのに、不幸にして人の心に及ぼす影響はそのように単純ではない。それに人の心の方も、同じほど不思議な具合に時の体に作用する。一時間とても、ひとたび人間精神という奇妙な領域に宿ると、時計で計る長さの五十倍、百倍と引き伸ばされたりする、かと思えば、その一時間が心の時計できっかりただの一秒ということもあろう。時計の時間と心の時間の度外れた食い違いは意外と無視されていて、もっとよく検討されることが望ましい。

（同、八六頁）

オーランドーの内面で男女両性が混ざり合うカイロス的な時間が流れ始めるのは、厳密には彼が女性に変身した後である。貴族青年のオーランドーはチャールズ二世に命じられて、コンスタンチノープルへ大使として派遣される。そこで暴動が起こったときオーランドーは逃げ出すのだが、七日間昏睡の末、起きてみたら女性の身体に変わっていた。そこで当世風の婦人服一式を買い揃え、イングランドに帰郷するために船に乗る。男であったオーランドーは突然あることに気づいてしまう。もしスカートで海に飛び込んだなら、「泳げなくて、水夫に助けて貰わなくちゃならない」ということに。「思えば青年だった頃の彼女は、女は従順で純潔で香水をつけ美しく着飾らなくちゃいかん、と主張したものだ」と回想する。ところが、実際に女になってみると、「女は生れつき（わたし自身の短かい女性体験から判断しても）従順でも純潔でもなく、香水つけてお洒落するようにできているわけでもないもの」、と考えるようになる（同、一三七頁）。

ウルフが不当な女性差別の歴史を『オーランドー』で浮かび上がらせたのは、人間のリアルな「生」を社会に蔓延る先入観と対峙させるためでもあった。オーランドーが青年だったころ、グリーン氏という詩人を屋敷に招いて、シェイクスピアやベン・ジョンソンについて語り合ったのだから、女オーランドーにとっても同時代の作家や詩人と意見を交わすことはごく当たり前だと思っていた。じっさいアレグザンダー・ポープ、ジョゼフ・アディソン、ジョナサン・スウィフトといった天才作家の訪問を受けたとき、ラムジー夫人のようなホストぶりを発揮し、「みなにお茶を入れてあげ」、「円の間《ラウンド・パーラー》で盛大にもてなし」た（同、一八四頁）。ところが、このお茶会が「どうもおかしなものになってくる」と語り手はいう。

才子（ポープやアディソンら）が女性に詩を送ってきて、彼女の批評眼を褒め批判を請う、お茶の時間にやってくる、といったって、その女性の意見を尊重し、理解力をかっているからではないし、剣がだめならペンで刺し貫くくらい平気なことを、女の方はよく知っています。と、できるだけ小声でささやいた……。（同、一八七頁）

ウルフの『オーランドー』はおよそ九〇年前に書かれた作品だが、女性の知力や理解力を軽んじる風潮が今日なくなったわけではない。むしろ時代が退行しているのではないかと思われる事例さえある。東京医科大学が入試で女性を差別していた問題はまさにこれに当てはまるだろう。さらに、女性医師の採用を敬遠する風潮の背後に「医師の多くが、長時間労働で休みが取れない苛烈な労働環境にある」「(女性が)育児責任を担うことが多い」という思い込みがあるのではないかという専門家のコメントにみられるように、実力や知力とは別の基準を設けてしまうという明らかな差別があったことが報道された。[*36]

このような傾向は、カントのジェンダー観を含め、一八、一九世紀の医学言説や社会制度にも見られた。さまざまな科学的発見は、女性を高等教育や専門職、選挙権、相続権から排除する規制を正当化することにも貢献していたのだ。近代社会において、科学の進歩が男女平等の思想を助長したかというと、必ずしもそうではなかった。つまり、科学者や思想家たちが発見した自然に関する真理は、男性と女性では本質的に異なる身体/感情が与えられていることの証明に役立てられてしまったのだ。まさにアガンベンが「開かれ」と呼ぶものとは正反対の「開かれ」である。男性の価値観が浸透している科学や哲学が人間の生についての真理を「発見」したとしても、それが女性の生を必ずしも豊かにするわけではなかった。ジャン゠ジャック・ルソーの教育論はその典型例であり、『エミール』では主人公のエミールは、新たに発展しつつあった市民社会にふさわしい教育、つまり肉体的で動物的な存在を超越する「人間」としての資質の鍛錬、そしてそれに耐えうる耐性を期待される。他方で、彼の将来の妻となる女性ソフィーにはまったく異なった軌跡をたどるべきだという。ルソーからすれば、市民社会に女性の居場所はないのである。ルソーのジェンダー化された感情論は以下のようにまとめることができる。女性はただ男性に喜びをもたらし、彼の役に立つために存在する。つまり、「女性のふるまいは男性の感傷《センチメント》に訴え、好ましいと判断されるものでなければならない。そのため女子教育は、制約と命令に従うことに早期から慣らすものである必要があった」（ウーテ・フレーフェルト『歴史の中の感情』、一〇五頁）。

ルソーは女性と男性の差異を生来的なものとして捉えつつ、女性の力は男性を魅了することで得られると考えた。

女性は、気に入られるように、また、征服されるように生まれついているとするなら、男性にいどむようなことはしないで、男性に快く思われる者にならなければならない。女性の力はその魅力にある。その魅力によってこそ女性は男性にはたらきかけてその力を呼び起こさせ、それをもちいさせることになる。男性の力を呼び起こす最も確実な技巧は、抵抗することによって力の必要を感じさせることだ。[*37]

ウルフが『オーランドー』で、ソフィー的な「魅力」が作られる舞台裏を暴露するのは痛快である。外見の魅力を磨くために何時間もかける女性オーランドーは、ある意味では理想的な女性像の風刺でもある。「午前中の一時間が消えちゃう、鏡と睨めっこでもう一時間、コルセットつけて紐で締め上げる、洗顔にお化粧、絹のドレスをレースのドレスにお召しかえ、つぎはレースのを花模様のにとっかえる、年がら年じゅう純潔を守らなくっちゃいけない……」（同、一三七頁）。挙句の果てに「ガイ・フォークスの案山子よろしく着飾って街を練り歩」きながら、「なんてわたしたちをばかにしてるの——わたしたちは大ばかだ！」（同、一三八—一三九頁）と言葉遣いすら「男でも女でもなくて、両性共にけなしているようにも聞こえ、まったくのところ、しばしどっちつかずに定まらぬ」状態が続いた。[*38]

オーランドーは「男であり女であり」、「実に厄介な目まぐるしい精神状態」で過ごすことになる（同、一三九頁）。このように男女の境界の間で揺れ動く主人公のカイロス的視点を捉えて描くことこそが、ウルフの目指したところである。オーランドーがサーシャに対して抱いていたような独占欲は、女性になってから徐々に失われていった。紳士階級の冒険家シェルマディーンとの恋愛は性的な結びつきというより友愛の固い絆が強調されている。オーランドーは男であったが故に、シェルマディーンの気持ちが分かるのだが、驚くべきことに、シェルマディーンもまた女性のような共感力がある。彼は「枝と枯葉と蝸牛の殻ひとつかふたつで地面にホーン岬の模型を作」り、オーランドーの想像力をかき立てる。「これが南。風がここら辺から吹いてくる」という具合に、ホーン岬を経由する船の航海の話をして聞かせる。彼の冒険譚や本の趣味までオーランドーがあまりに深く理解するので、シェルマディーンは「君はほんとうに男じゃないの?」と訊かないではいられなくなる。すると、今度はオーランドーが「あなたが女でないなんて信じられない」と答えた。「お互いの気持が余り速かに一致するのは驚きだったし、それに女が男と同じほど寛容で率直になんでも言い、男が女のように神秘的で細やかだなんて、ふたりにとって新発見だったから、直ちにことを立証する必要があったのだ」(同、二二四―二二六頁)と二人の関係性を書き表している。

その後二人の親密度は深まり、結婚へと発展する。シェルマディーンが家を出てしまった後、女性であるオーランドーは屋敷の相続権をめぐって苦しめられる。『自分ひとりの部屋』の「女はあまりに制限が厳しく、あまりに停滞が甚だしいために苦しんでいるが、男だって同じ境遇だったら同じように苦しむだろう」という一節が思い出される。かつて男だった時、オーランドーには相続権や文学に興じる特権があった。それが女性になって突如として剝奪される。そこではじめて女性の「苦しみ」を味わい、真の意味で「感情移入」ができるようになるのである。終章で、オーランドーは三四〇年の月日を経てようやく詩人として成功する。「樫の木」という詩をロンドンの出版社に持ち込むと、直ちに出版が決まったのである。出版社からの帰り、オーランドーはハイド・パークのサーペンタイン池の辺りでヴィジョンを見る。人生と文学について空想にふける彼女は、池に浮かぶおもちゃのボートを、海の男である夫シェルマディーンが乗った遠洋定期船と錯覚する。「爪先で起こした波をホーン岬沖の小山のような大波と見まちがえた」。その光景を目にしたオーランドーは「歓喜《エクスタシー》!」と何度も叫ぶのである(同、二五二―二五三頁)。人生で大切なのは「歓喜」であることに気づく場面である。

むすび

『オーランドー』はある意味で「特権」を持つ者が、それを失う物語である。誰しも、手に入れた特権がなくなることはなかなか想像しにくい。ましてや、生まれつき得られている特権となればなおさらである。これは男性が社会的、あるいは文化的に与えられている特権が女性との格差を生んでいることに限らない。たとえば白人と黒人といった人種間でも同様のことが起きている。筆者自身の話をすれば、女性であり、イギリスに留学した経験から、人種差別というものも経験している。寮の隣の部屋にいた友人はその年度入学してきた唯一の黒人の女性学生だった。同じような境遇だった東洋人の私は毎日のように彼女の部屋でおしゃべりをした。彼女は南ロンドンの貧困地域に生まれ育って、劣悪な環境のなか、独学で奨学金を獲得するまで成績を伸ばし、ようやく寮の「自分ひとりの部屋」

を手に入れたのだった。私が研究者となり、ジェンダーの問題だけでなく、「ケア」の問題に関心を寄せるようになったのは、おそらく彼女が私に語って聞かせてくれたカイロス的時間のおかげではないかと思う。特権を奪われた弱者の物語をいつも探しながら、研究を続けている。

『オーランドー』終章のサーペンタイン池のヴィジョンはさまざまに解釈されるだろうが、直立人（看護者）と横臥者（病人）あるいは、強者と弱者の対比に立ち戻って考えてみたい。語り手は、このヴィジョンが見えるのは「人間の精神状態」のせいだという。つまり、母親ジュリアのような直立人（看護者）が惧れていた心の作用をわざと皮肉を交えて「精神状態」と呼んでいるのだ。そしてこの「精神状態」という言葉を「看護婦たちの用語なのだが」と断ってもいる（同、二五二頁）。つまり看護者から見れば「精神状態」が生み出す幻覚であるものを、ウルフはオーランドーの人生最大の気づき、すなわち「歓喜」（ecstasy/joy）が人間に不可欠であるという悟りに導く創造的なヴィジョンとして描いたのだ。これはエッセイ「病気になるということ」でウルフが肯定した横臥者の鋭敏な感性と想像力である。そして、「歓喜」（joy）とは、両性具有的な詩人コウルリッジが詩のなかで表現してみせたナイチンゲールの忘我の境地でもある。ウルフは特権を与えられた男性の傲慢さが女性を苦しめてきた歴史をいくつもの小説やエッセイで示しているが、弱者を押さえつける場合の究極の寓意として、動物を用いた。『フラッシュ』（*Flush: A*

Biography, 1933）は、長らく病人でもあったエリザベス・バレット・ブラウニングという女性詩人の犬フラッシュの視点から語られた物語である。ナイチンゲールの鳥のように、ウルフはただただ全存在で歓喜して生き抜く力を持つことができる動物に、ある種、憧れのような気持ちも抱いていた。動物にとっての経験というものが確実性や数値化とは相容れないことは自明だが、人間にとってもそれは同じであるというのがアガンベンの見解である。

さまざまな局面でカイロス的時間がクロノス的時間に変換されてしまう現代社会において、人間の内面世界を生き生きと描いたウルフの文学作品が教えてくれることは大いにあるだろう。女と男の間でオーランドーとシェルマディーンのような友愛の関係を構築するためには、なによりも想像力と共感が重要であるとウルフは考えた。また、人種、階級、ジェンダーの序列関係が存在する社会では、特権を持つ者こそケアの倫理を実践すべきである。そうすれば「家庭の天使」だけでなく、「男らしさ」の呪縛からも逃れられるのではないか。ウルフの小説からは、そういう声が聞こえてくる。

2章　越境するケアと〈クィア〉な愛

1. ケアの倫理と民主主義

コロナ禍が長期化するなか、「ケアするのは誰か?」という問題提起がなされている。レーガン元米大統領やサッチャー元英首相が「小さい政府」を掲げてから、日本もそれに追随し、新自由主義の路線をひた走ってきた。レーガンは「政府は解決を与えない」とまで言ったが、[*1] 臨時国会の所信表明演説で菅義偉首相が述べた「自助・共助・公助」は、まさにレーガンの言葉をそのまま継承しているようである。さまざまな反応はあったが、SNS上でひときわ目を引いたのが、「せやろがいおじさん」のYouTube投稿にある核心を突く言葉だった(二〇二〇年一一月二二日)。菅首相に対して、「あんたらの仕事は公助することやろ、自助を呼びかけんでええねん!」と言っていた。さらには、現政権が「溺れてる人に向かって、ライフセーバーが、はい! まずは自分でやってみる!」と言っているようなものだと見事な喩えを用いている。[*2]

ケアの倫理論者のひとりジョアン・C・トロント(Joan Claire Tronto, 1952-)によれば、近代社会で世帯が小さくなるに従い、「より多くのケアが、市場で職業化されるようになった。つまり多くの場合、「ケアを受け取れるかは、お金をもっているかどうかに左右され」る。新自由主義的なイデオロギーの影響で、「市場は政府よりも良いと考えられて」おり、「ほとんどのケアが市場を通じて編成されるようになって」しまった（ジョアン・C・トロント『ケアするのは誰か？』、四三―四四頁）。「「ケアの倫理」を真に社会変革のための理論へと鍛えるためには」、ケアの実践を「公私の二元論に対する批判的な実践として、捉え返す必要がある」という岡野八代氏の主張は慧眼である。[*3] つまり、ケアは私的領域の専売特許だという先入観を取り除き、公的な役割のひとつとして捉え返す必要があるのではないかということである。別の言い方をすると、人任せ、市場任せになっている「ケア」を、「公」や「政治」が〝自分事〟として再認識するべきだという指摘でもあるのだ。

「ケア」という言葉が用いられるとき、その意味は、病人へのケアや看護、子どもの育児、あるいは高齢者に対する介護などにおける女性の営為だけに限定されるわけではない。勿論、私的、公的領域においてケアを提供する人に女性が圧倒的に多いのも事実である。ケアという実践活動の社会的属性が、ジェンダーにより不均等配分されていることは明らかである。[*4] しかし、〝自立した自己〟を前提としたリベラリズム的な「正義の倫理」（the ethics of justice）が看過してきた側面を補って生まれたのが、キャロル・ギリガンの

「ケアの倫理」(the ethics of care)である。『もうひとつの声』で、ギリガンが想定するのはそもそも男性に対して反論する女性という(自己対自己の)構図ではない。そこで想定されているのは「自己」が互いに〝依存し合う関係性〟であり、それぞれの「自己」がいわばやせ我慢しながら〝自助〟して生きていく主体でもない。[*5] つまり、苦しんでいる、あるいは弱っている人は、一人で抱え込まずに家族、近隣の人たち、地方自治体や関連団体に助けを求めてもよいという倫理としても解釈されうる。

また、社会の政治的状況も変わり、「ケアの水準」も変化してきている(同、二五頁)。たとえば、数十年前であれば、教員が生徒に体罰を与えたとしても、しつけであると正当化され、「ケア」の一種だという理屈さえ通ったかもしれない。今では教員による体罰は「虐待」とみなされ、適切な法的制裁を受けるだろう(同、二五頁)。日本でも、二〇二〇年四月一日から親の子どもへの体罰が法律で禁止になったというニュースは記憶に新しい。それには、二〇一九年一月に千葉県野田市で起きた栗原心愛さん(当時一〇歳)の虐待死事件が背景にある。[*6] この法改正は、社会的弱者である子どもへの「ケア」を社会が担っていくという意識に少しずつ変わってきている証左なのかもしれない。「ケア」の普遍的な定義というものは不可能かもしれないが、人が平等に、互いに「ケア責任の配分」を負いつつ、社会的立場の弱い人々の不安や苦悩にリーチアウトする、つまり立場を越えて配慮しようとすることという定義(同、三九頁)は可能ではないだろうか。

男女二元論に基づく伝統的な考え方においては「ケア」は「女性」の役割であると見なされがちだが、その先入観を克服してみると新しい地平が見えてくる。ケアの倫理論者の一人であるネル・ノディングズ（Nel Noddings, 1929-）は、「ケアするひと」を女性、「ケアされるひと」を男性と必ずしも想定しているわけではないと言う。性別にかかわらず、ひとつの独立した倫理として実践されているのが「ケアの倫理」である。実際の人間の基本的関係が、「ケアするひと」と「ケアされるひと」に置き換えられる場合には、明らかにこの両方が男性であったり、両方が女性であったり、女性と男性であったり、男性と女性であったりすると説明している。[*7] ギリガンのケアの倫理が誤読されてきた理由について、岡野氏は次のように説明する。「ケアの倫理が私的な道徳であるとみなされていることを十分に批判し得なかった点が、『もうひとつの声』が保守的であるという批判を招いた一因である」（岡野八代「民主主義の再生とケアの倫理」、九五頁）。ケアを請け負う人に女性が多いからといって、この倫理が必ずしも「私的領域」、つまり「家族間の関係性」と結びつけられて理解される必要はない。

トロントは、「ケア」という概念が、家庭内のケア、あるいは、女性の性役割だけに限定されず、より広い公的領域のなかで捉え直されることを提案している。

もっとも一般的な意味において、**ケアは人類的な活動** a species activity であり、わたしたちがこの世界で、できるかぎり善く生きるために、この世界を維持し、継続させ、そして修復するためになす、すべての活動を含んでいる。世界とは、わたしたちの身体、わたしたち自身、そして環境のことであり、生命を維持するための複雑な網の目へと、わたしたちが編みこもうとする、あらゆるものを含んでいる。（『ケアするのは誰か』二四頁、太字は筆者）

このようなトロントの視点から「ケア」という概念を再検討することができれば、「民主主義は、ケア責任の配分に関わるものであり、あらゆるひとが、できるかぎり完全に、こうしたケアの配分に参加できることを保障する〔傍点は原文のまま〕」可能性が見えてくるだろう。彼女は、「関心を向けること」（caring about）によってケアのニーズを見極めたり、「配慮すること」（caring for）によって、「なにかがなされなければならないと認識」することの重要性に着目している。

既に触れたが、公共圏の政策に「ケア」という視点を取り込んでいるのが、フィンランドのサンナ・ミレッラ・マリン首相やニュージーランドのジャシンダ・アーダーン首相らである。マリン首相の「ケア」重視の政策の背景には、彼女の母とその同性パートナーの「レインボーファミリー」で育った家庭環境があるだろう。*8 彼女のジェンダー二元論に囚われない多様性重視の認識が、より平等な社会を目指す原動力にもなっているようだ。

二〇二〇年九月に原著が刊行されたケア・コレクティヴ著『ケア宣言　相互依存の政治へ』（*The Care Manifesto: The Politics of Interdependence*）では、「ケア」という概念が〝多様性〟を含んで理解されなければならないと指摘されている。『ケア宣言』は「関心を向けること」や「配慮すること」だけでは十分でないと強調する。「ケア」（care）の古英語の〝*caru*〟には、「関心、不安、悲しみ、嘆き、そして困惑」（concern, anxiety, sorrow, grief, trouble）という意味があり、さらに、最後の〝trouble〟は「苦悩」とも捉えることができる。[*9] つまり、「ケア」の議論には、不安を抱える社会的弱者の視点からの認識も包括されるべきであるということだ。たとえば、家族の定義に多様性を反映させる一つの可能性としてキャス・ウェストンの「選択からなる家族」（families of choice）という概念を紹介している。社会が「脱伝統化」されていくなかでのこういう実践は、LGBTQの人々が「排除された」と感じる男女二元論や血縁によって構成される家族とはまた違った新しい〝家族〟のかたちを見出している（同、六〇頁）。つまり、多様性について考える場合、「家族」や「性役割」との関係が一筋縄ではいかないLGBTQの人々にとっての「ケア」が含まれなければ社会全体のケアについて考えたことにはならない。

性や生殖にかかわることで、世間一般の「常識」と考えられている範囲を逸脱することを「クィア」（queer）という言葉で表すが、このクィアなものを排除する家父長制と同性愛嫌悪《ホモフォビア》について論じたのがアメリカ人批評家のイヴ・K・セジウィックである。彼女の文学批評研究は、欧米のジェンダー・クィア・スタディーズのカリキュラムに必ず組み込まれるほどの古典であり、「クィア」という概念を広めるのに寄与した。[*10] 日本では、パートナーシップ法や同性婚を認める法律は存在しておらず、LGBTQ当事者たちのパートナーとの関係性は法的に保護されていないため、「ケア」に関わる婚姻制度は喫緊の問題である。異性との結婚生活をしながら二重生活を送るか、法的な保障のない環境で子育てや看取りの問題と奮闘するか、あるいは結婚そのものをあきらめるか、さまざまなケースがあるだろう。かつてはモラルに厳格だったイギリスでも、二〇一四年に既に同性婚が法的に認められている。

多様性に対する理解や配慮が十分でない日本では、LGBTQ当事者たちの権利や尊厳の問題は深刻である。二〇二〇年一一月二五日に東京高裁で行われた「一橋大学アウティング事件裁判」の控訴審判決は大きな論争を呼んだ。一橋大学のロースクールに通っていたゲイの学生のAさんが、同級生にアウティング（同意なく暴露）されてしまい、二〇一五年に大学の校舎から転落死した事件である。裁判所の判決が「アウティングが人格権ないしプライバシー権等を著しく侵害する許されない行為であるのは明らか」とアウティングが不法行為であることには言及したが、「一橋大学の安全配慮義務違反は問えない」と結論づけた。この判決には賛同できないと非営利団体「一般社団法人fair」の代表理事松岡宗嗣氏は述べている。両親は大学の担当者から「ショックなことをお伝えします」「息子さんは同性愛者でした」と言われたのだそうだ。[*11] ケアの多くが市場原理に委ねられると、カウンセラーや臨床心理士などの「職業」に就いていない人や組織は「他人事」として捉えてしまい、関心を向けないため、各々が各々の立場から「配慮《ケア》」しなければという意識をもちにくい。それでも、大学側の配慮の欠けた対応が「違反にならない」というのはやはり問題であろう。

男女二元論が「普通《ノーマル》」と考える「ヘテロノーマティヴ」という価値観が行き渡る社会では、性の〝逸脱〟と考えられる行為への社会的制裁がより大きい。そういう時代に生きた文豪たち——オスカー・ワイルド（Oscar Wilde, 1854-1900）や三島由紀夫ら——は自らの同性愛的傾向を胸底に秘めていた。そして、「同性愛は、抑圧されつつ、作品の至るところに偽装されたかたちで忍び込むこととな」った。[*12] ワイルドは、「著しい猥褻行為」の罪で投獄されるまではコンスタンスという女性と結婚生活を送り、二人の子どもにも恵まれ、ヴィクトリア時代の社会にとって「正統」な存在として生きていた。作家、戯曲家としても成功を手に入れ、家族との生活を大切にしていたワイルドだが、アルフレッド・ダグラス卿（Lord Alfred Douglas, 1870-1945）との同性愛関係にのめり込んでしまう。その後、その事実を暴かれ、精神的にも肉体的にも極限まで追い込まれた。三島も、セクシュアリティをめぐる葛藤が主題の作品『仮面の告白』（一九四九年）と『金閣寺』（一九五六年）を書いている。『金閣寺』までの三島は、同性愛と美というテーマを真摯に、あるいは切実に追い求めていたが、その後は自分が同性愛である可能性を示唆する言葉は「表向きの実生活からも作品からも姿を消」してしまった。[*13]

三島の戯曲『サド侯爵夫人』(一九六五年)に登場する主人公ルネや彼女の夫であるサド侯爵も性愛のかたちを正常化、規範化する社会やモラルに対して抗い続けた。平野啓一郎が「解説」でも書いているように、「法・社会・モラル」に挑戦したルネと厳格なモラル規範の体現者である母モントルイユ夫人の対立構造は、三島にとっても重要な思想表明であった。[*14]ルネの夫サド侯爵が反逆した「世間体」や「法・社会・モラル」はフランス革命によって崩壊し、それによって価値転換が起こるという物語でもある。髙山秀三によれば、三島にとって「男性性と女性性、そして生活と芸術は最後までうまく折り合うことがなかった」[*15]が、それでも彼は「女性的であると同時に男性的であり、精神的であると同時に官能的であり、共感的であると同時に自閉的」であるという二極のものが合わさった性質を持っていた[*16](髙山秀三『マンと三島』、一九九―二〇〇頁)。たしかに、『サド侯爵夫人』のルネは、母モントルイユ夫人が体現する伝統的権力に屈することなく、言葉で反抗し続ける強さも見せている。ワイルド同様、結婚して家庭を持った三島は、「「内的」には相当に平均から逸脱した性的傾向をもちながら、「異端者」となることを怖れて「正常」を演ずる二重生活を営んでいた」(同、一一一頁)。ヘテロノーマティヴな規範から外れているがために、不安なまま現在進行形の〝今〟を生きるしかなかった芸術家たちの共感やケアの連鎖によって文学作品が生み出されてきたことを考えると、三島が『金閣寺』を執筆する数年前に「〔オスカー・〕ワイルドの名が、永いあいだ私の関心からは立去ってゆかなかった」[*17]と書いていたことが、きわめて重要なことであるように思われる。

文学はこうして国境を越えた痛みや苦しみというある種の「普遍」を描き出してきた。気の遠くなるような時間を生きた超人的な視点から描かれる「普遍」については、1章で『オーランドー』を取り上げた。本章では、鳥瞰的な視点から語られる文学作品と「ケア」を繋げてみたい。ワイルドは、寓話的な童話で異形の姿の「美」を模《かたど》りながら、逆説的に人類共通の苦悩を浮き彫りにしている。三島もまた、『金閣寺』のなかでヘテロノーマティヴな分類から外れた主人公が「美」の象徴に自分の魂を重ねて感じる疎外感や苦悩を描いた。『美しい星』（一九六二年）では、SF世界のなかの宇宙的視点から現代人が浸りきっている家父長的な制度を異化している。これらの作品に加えて、特定の地域や文化に縛られない「地球人」の視点から描かれる多和田葉子の『献灯使』（二〇一四年）や『星に仄めかされて』（二〇二〇年）もまた、ケアという観点から読み直すことができるだろう。

2. 同性婚が認められない社会とオスカー・ワイルド

ワイルドは、近代社会に最初に公然と現れた同性愛アーティストであり、今では性的マイノリティの象徴的存在でもある。しかし、恋人アルフレッド・ダグラス卿との同性愛関係が白日の下に晒されてしまったことや、彼が法廷で有罪判決を受けて二年間投獄されていた[*18]という文学史の暗部は、ワイルドの熱烈なファンや研究者を除いて、あまり語られていない。彼が逮捕された背景には、一八八五年の刑法改正後に男同士の「親密な」関係が国家の徹底的な監視下に置かれ、同性愛者の権利が著しく損なわれていた歴史的状況があった。イギリスで男性間の同性愛行為が合法化される一九六七年までは、同性愛者の男性は差別の対象となるだけでなく、法的な処罰を受けた。

　社会規範の埒外にある関係性に侮蔑のまなざしが向けられていた時代に、ワイルドはクィアな愛を来るべき新文化の曙光を暗示するものとして「名づけえぬ愛」と表現した。次の引用は、ワイルドの法廷でのスピーチである。

> それ〔男性同士の愛〕は、深遠でスピリチュアルにつながりあう愛にして、純粋かつ完全。シェイクスピアにしろミケランジェロにしろ、偉大な芸術作品の決め手となったのはこの愛であり、作品の隅々にまでそれは浸透しています。しかし、今世紀ではそれはまったく理解されていません。だから、「名づけえぬ愛」と表現されているのです。[*19]

ワイルドは「幸福な王子」（The Happy Prince, 1888）などの童話の作者として広く知られているが、じつは彼がシェイクスピアの同性愛についての小説を書いていたことはあまり注目されていない。もちろん、ルネサンス期の「同性愛」がワイルドの時代のものと厳密には同じではないということを踏まえるべきではあるが、ワイルドの短篇「W・H氏の肖像」（The Portrait of Mr. W. H., 1889）は想像力に富んだ優れた作品である。

これは、シェイクスピアのもとで演じたことのあるウィリー・ヒューズ（W・H）という少年俳優がこの大詩人に愛されたため『ソネット集』が書かれたという虚構の物語である。このウィリー・ヒューズという少年を、大橋洋一氏は「越境者」と形容している。[*20] 少年でありながら女性の役を見事に演じる両性具有的な存在であるため「子どもと大人」や「男性と女性」を、あるいは「現実と虚構」や「過去と現在」を越境する登場人物である。そう考えると、ヴァージニア・ウルフのオーランドーはウィリー・ヒューズの系譜に連なりそうなキャラクターである。人間の「自己」はそもそも流動的であるというこの解釈は、自己像を「男」「女」「子ども」「本物」などという厳格な言葉によって規定してしまう「法・社会・モラル」からするりと抜け出すことを可能にする。チャールズ・テイラーの言葉を借りるなら、「越境者」はスピリチュアルな「多孔的な自己」（porous self）によりも近く、西洋近代社会で理想化されてきた「緩衝材に覆われた自己」（buffered self）に対抗するイメージであるといえる。啓蒙期以降に浸透するようになった「自立した個」とも正義の倫理的な自己像ともいえる「緩衝材に覆われた」イメージは、同性愛者であったワイルドにとっては抑圧的な自己像でもあっただろう。「越境者」をあたかも実在する人間であるかのように表現するワイルドの芸術は、自己の輪郭をゆるやかにするという点で、ヘテロノーマティヴな集団に属さない人々のエンパワメントに繋がったのではないだろうか。

すでに論じたように、ウルフの小説『オーランドー』は、生まれたときは男性であったが人生半ばで女性に変貌するという、いわば両性具有者の物語である。ウルフは、両性具有的な魂のメタファーとして「タクシーに乗り込んだ二人の男女」を用いている。このように、クィアな芸術家は両性具有性とスピリチュアリティを結びつけて考える傾向があった。ウルフがこのアンチテーゼとして思い浮かべたのは、ヴィクトリア時代の道徳的規範を体現し、旧来の「男らしさ」、あるいは家父長制の象徴でもあった父親のレズリー・スティーブンであった。ホモフォビアは一九世紀のイギリス社会に蔓延しており、彼は娘ヴァージニアの前でも同性愛を「病的」と表現し、その嫌悪を隠すことはなかった。[*21]

同時代の女性作家たちでいうと、ラドクリフ・ホール（Radclyffe Hall, 1880-1943）、女性二人で一つのペンネームを共有する詩人マイケル・フィールド（Michael Field: Katherine Bradley, 1846-1914, Edith Cooper, 1862-1913）たちも魂の両性具有性やスピリチュアリティを創作の中心に据えた。「あの金髪、花を思わせる優雅さ、夢見るような窪んだ眼、優雅なしなやかな手足、そしてあの白百合のような手」[*22]というのが、ワイルドが描いた「越境者」の特徴であるが、ホールやフィールドの流動的なジェンダーのイメージとも重なり合う。

イギリスではLGBTQの運動やさまざまな働きかけによって、二〇一四年に同性婚が認められたが、日本ではまだ同性婚は合法化されていない。この問題を徹底的に追及する「マリフォー国会」が二〇一九年一一月に初開催されてから一年以上経ったが、進展はあまり見られないという（二〇二〇年一一月現在）。「一般社団法人Marriage For All Japan」共同代表の寺原真希子弁護士は、「パートナーシップ制度の導入自治体が全国各地で飛躍的に増え」たり、「134もの企業が同性婚への賛同を表明した」り、前進していると感じられる変化はあるものの、同性婚に関する政府の回答は、「慎重な検討を要する」というもので進展はない。国は、「伝統的に婚姻は生殖と結びついて理解されてきた」「（異性愛者も含めて）誰もが同性と結婚できないのだから平等だ」「同性であっても異性であっても人生のパートナーにはなれるから人権侵害ではない」などと主張している。[*23]

性的マイノリティをめぐるケアについては、差別を受ける人々の愁訴の声だけでなく、その痛みに共感する声がしばしばメディアやSNS上で発信されている。二〇二〇年二月、『バイバイ、ヴァンプ！』という映画が公開された。ヴァンプと呼ばれる吸血鬼に嚙まれた人間が「同性愛に目覚める」という内容であるが、SNS上で予告篇が公開されるやいなや、性的マイノリティの当事者を中心に多くの批判的な声があちこちから寄せられた。松岡宗嗣氏によれば、映画のなかで「学校中、町中が同性愛の街になってしまう」「同性愛に走るわけにはいかない」「あいつは正真正銘のホモだ」「俺は死んでもソッチにはいかない」「尻を狙われている」「(女性同士のキスに対して男子生徒が)レズっていいよな」など、偏見に満ちたセリフが数多くあったという。また、「吸血鬼に噛まれ、同性愛に〝走った〟人間は、突然同性同士でキスや身体を交わらせる演出がされ、同性愛者を《ママ》性的な快楽のみを求める存在として描かれている」というのだ。[*24] このような内容の映画が公開されると知って、当事者でない人々までもが批判の声を上げ、連帯した抗議へと広がった。これも「ケア」の一形態であるといえよう。同性愛に対する差別的なコンテンツが制作されてしまう一方で、同性愛者へのケアの認識が着実に広がってきてもいる。

　性的マイノリティがヴァンパイアとして表象されることはある意味で常套なのかもしれないが、「感染」というテーマはもっと慎重に扱われるべきだろう。ブラム・ストーカー(Bram Stoker, 1847-1912)の小説『吸血鬼ドラキュラ』(*Dracula*, 1897)でも、「感染」はマジョリティの人間の領域がマイノリティによって侵食される恐怖と結びついているが、原作では、マイノリティの声を含む複数の声も掬い取っている。量産されてきたヴァンパイア映画のなかには、マイノリティとして表象された吸血鬼を怪物化して抑圧するものもあるが、一九六〇年代以降には女吸血鬼のセクシュアリティが主体的に描かれ、女性や性的マイノリティの解放を示唆するものも数多くある。[*25] ストーカー自身、アイルランド独立運動が盛んだった時代のアングロ・アイリッシュ作家であり、最近では彼の同性愛的傾向も指摘されている。『吸血鬼ドラキュラ』は、じつは帝国拡張、ホモフォビア、外国人への嫌悪などを批判的に捉えた〝多様性〟のイギリスを描いているのである。[*26]

ホモフォビアの文化のなかでワイルドは処罰され、刑務所生活を送った。彼が経験した苦悩はダグラス卿宛ての手紙として綴られ、のちに『獄中記』（*De Profundis*, 1905）として刊行されているが、二〇二〇年に『オスカー・ワイルド書簡集　新編獄中記──悲哀の道化師の物語』（宮﨑かすみ編訳、中央公論新社）として新訳が出た。日本の読者がこの一冊から得られることは多いだろう。愛のかたちは、時代や地域、あるいはその社会の習俗によっても異なる。同性婚が合法化されていない今の日本の状況は一九六七年の性犯罪法成立直後あたりのイギリス社会に近いのかもしれない。日本の家父長的な社会において許容されている愛は男女の一夫一婦制であり、その夫婦と子どもによって構成される「家族」が基盤である。そういう文化では、生殖と結びつかない同性婚は忌避されがちである。適齢期を過ぎても独身でいることも、その制度の外で育まれる恋愛関係も、生殖や子育てと結びつかず敬遠される傾向にある。

一九世紀の抑圧された同性愛は、作品の至るところに「偽装されたかたちで忍び込む」こととなったが、代表的なのは童話作家ハンス・クリスチャン・アンデルセン（Hans

Christian Andersen, 1805-1875）の『人魚姫』（*Den lille Havfrue*, 1837）だろう。アンデルセンの親友エドヴァード・コリン[27]に対する抑えきれない愛と失恋がインスピレーションとなり、『人魚姫』の物語が生まれた。人魚――クィアな存在――が人間を愛しても報われることはないというエンディングは、作者自身の体験をなぞっているかのようだ。その「名づけえぬ愛」を実践したのはアンデルセン自身であり、彼が愛した「人間の王子」エドヴァードは、女性と結婚することを選び、彼のもとを去っていった。現実世界の苦しみを寓意的に表現した物語として読むと、不思議と心に迫ってくるものがある。[28] アンデルセンに影響を受けていたワイルドも、やはり近代社会の「異性愛」「夫婦」「家族」では包括しきれない愛を描こうとした。[29]

勿論、同性愛の徴《しるし》を彼の童話から読み取ろうとすることに警鐘を鳴らす批評家もいる。イゾベル・マレーは、ワイルドの抑圧された同性愛的な欲望を読み込もうとするのはあまりに視野が狭いと言う。[30] しかし他方で、「幸福な王子」が書かれた時期が、ワイルドが初めて同性愛に目覚めた一八八六年であったことを踏まえれば、そこに隠されたクィアな文脈を読み込むことは容易であろう。[31] 後期ヴィクトリア時代の性規範から逸脱するクィアな世界観を表現する作家は、少なくともイギリスにはワイルド以外に数多く存在した。

「シャーロック・ホームズシリーズ」の作者コナン・ドイル（Arthur Conan Doyle, 1859-1930）もその一人である。ドイルのセクシュアリティに関する研究はほとんどないが、じつは、彼がクィアな関係を小説世界に描くことこそが、同性愛者への社会的圧力の緩和に寄与していたと捉える批評もある。[*32] ホームズとワトソンのような「社会的に許容される」(socially acceptable) 男同士の友情は、ホモフォビアへの不安を払拭することに一役買っていたと考えることもできるのだ。

ウルフとワイルドは出逢ったことはないのだが、ウルフにとってワイルドは、クィアな人々をエンパワーする代弁者として尊敬の対象であった。ワイリー・ブラックウェル版の『自分ひとりの部屋』に印刷された長い注釈によれば『自分ひとりの部屋』の草稿の「走り書き」からは次のようなことがわかるそうだ。クロエとオリヴィアという女性の関係性を〈レズビアン同士のカップル〉から〈職場の同僚〉に変えていたのだが、この改稿は、オスカー・ワイルド裁判を想起してなされたことであったと。[*33]

レズビアンの愛の遍歴を描いた『孤独の井戸』(*The Well of Loneliness*, 1928) という小説をラドクリフ・ホールというイギリス人作家が書いて発禁処分になったのだが、ウルフは『自分ひとりの部屋』では、ホールをモデルとしたクロエとその恋人オリヴィアを登場させている。[*34] ウルフは、草稿の段階でクロエとオリヴィアを「寝室を共有した」恋人同士という設定にしようと考えていたのだが、ふと同性愛に対する当時の法的な取り締まりを思い出してしまう。じっさいにそれが印刷されてしまい、法の目に触れるとどうなるかということが頭をよぎる。そのときウルフの意識の流れは、まさにワイルド裁判の記憶という支流と合流し、犯罪のイメージが連鎖的に綴られる。「回避できない警官」「法廷への出廷義務」「恐ろしい待機時間」「裁判官が法廷に入ってきて会釈する」など、実際に経験したのではないかというくらいのディテールが書き込まれている。同性愛者であることが露呈することによって起こりうる状況が一気に脳裏に押し寄せる次の瞬間、ウルフは、「あああかった」「ただの実験室だった」(It was only a laboratory)と冗談めかして書いている。[*35] ウルフが、自分たちのクィア性を体現するような女性クロエにワイルドの姿を投影していたのは、おそらく彼が性規範に厳格な社会で罰を受けたからというだけではない。ワイルドが法的取り締まりに怯えながらも、既存のジェンダー観、セクシュアリティの規範を超越する自由な芸術表現を模索していたからだろう。ワイルドのデカダンスという美意識の根底にあったのは、現世利益的な卑俗さ、「法・社会・モラル」への反発である。小説、戯曲、批評いずれのジャンルにおいても、彼が嘲笑の対象としたのは、近代合理主義に蝕まれ、感受性や想像力の欠如した俗物であった。

3. ワイルドの『獄中記』と童話におけるケア

ワイルドは、「幸福な王子」(The Selfish Giant, 1888)、「わがままな巨人」(The Selfish Giant, 1888)、「すばらしい打ち上げ花火」(The Remarkable Rocket, 1888)、「ナイチンゲールと薔薇」(The

Nightingale and the Rose, 1888）といった初期の童話以外にも、『サロメ』（*Salomé*, 1893）、『真面目が肝心』（*The Importance of Being Earnest*, 1895）、『ウィンダミア夫人の扇』（*Lady Windermere's Fan*, 1893）という戯曲や、『ドリアン・グレイの肖像』（*The Picture of Dorian Gray*, 1890）という小説などを書いたことで知られている。三島由紀夫は、ワイルドの苦悩の表象に早くから関心を寄せていた。三島はウィンダミア夫人の「わたくしは生涯独りぽっちだ！　何という怖ろしいことだろう！」という「苦悩の叫び」を特筆すべきことだとしている。そして、このような孤独や苦悩というテーマは、ワイルドの童話の数々に「あらわれている」社会諷刺を想起させると三島はいう（「オスカア・ワイルド論」、『決定版　三島由紀夫全集　27』、二九一頁、原典は旧仮名遣い）。たしかに、ワイルドの「すばらしい打ち上げ花火」という童話は、高慢で自己中心的な（擬人化された）「打ち上げ花火」が視点人物で、王子が花嫁と結婚する日に、自分が空高く上げられることを誇らしげに語り続けるという荒唐無稽な物語であるが、同時に苦悩と悲哀の物語でもある。打ち上げ花火は、王子の幸せな結婚や将来生まれるであろう子どもについて想像し、つい感極まって涙を流し、自分の花火の体を湿らせてしまう。ここで、アンデルセンの『人魚姫』に登場する「人間の王子」を想起すると、異形（打ち上げ花火）と人間（王子）の断絶が仄めかされているのがわかる。結局、打ち上げ花火は王子の結婚式で華々しく打ち上げられることはなく、無関係な子どもたちに誤って火にくべられ、注目を浴びるどころか、誰の目にも届かないところで爆発し、酷く物悲しい最期を遂げるのだ。

　同様に報われない自己犠牲というテーマでいうと、「ナイチンゲールと薔薇」がある。この物語でも、やはり擬人化された鳥、ナイチンゲールが視点人物となる。赤い薔薇がなくて愛する女性と踊れない学生が泣いているのを見たナイチンゲールは心動かされ、この学生のために白い薔薇の木の棘に自ら胸をぴったり押し当てて鳴く。そうすれば、自らの血が真っ白な薔薇を赤色に染めてゆくからだ。「刺が心臓に触れて、激しいうずくような痛みが全身をさっと走った。苦痛は途方もなく激しく、ナイチンゲールの歌はますます狂おしいばかりのものとなっていった。というのも、死によって完成される愛を、墓のなかでも死滅することのない愛を歌っていたからだ。[36]」学生が求愛する女性は教授の娘なのだが、彼が赤い薔薇を渡してもその愛には応えてくれず、命を懸けたナイチンゲールの痛みは報われなかった。報われない自己犠牲は「スペイン王女の誕生日」（The Birthday of the Infanta, 1891）とも共通するテーマである。この物語では、侏儒《こびと》が王女のために激しく踊り続けるのだが、最後に彼女に「ちびの怪物《プチ・モンストル》」と言われて彼の心臓が壊れて死んでしまう。[37]「すばらしい打ち上げ花火」同様、他者に奉仕するという点において、ケアの倫理が通底している。

　ワイルドが書いた長篇詩『レディング監獄のバラッド』（*The Ballad of Reading Gaol*, 1897）の一節、「疎外されるものは常に嘆き哀しむ」（outcasts always mourn）が、ペール・ラシェーズ墓地にある彼の墓に彫られているが、この言葉はワイルド自身のことを指しているのだろう。ワイルドの墓は、今でも同性愛者たちの巡礼地となっているが、その求心力は、魅力的な文学作品のみならず、彼自身が生きた軌跡とそれを言葉で綴った『獄中記』にもあるのかもしれない。ワイルドはケアを欠く社会によって自分の性的指向を「アウティング」されてしまった。彼は刑務所の中で苦しみながらその事実を受けとめ、内省的に思考を深めていった。「本来の自己の内から出た行為ほど稀なものはない」というアメリカの詩人ラルフ・ウォルド・エマーソンの言葉を借りてワイルドがいわんとするのは、ほとんどの人間の「思考は誰か他の人の意見を借りてきたもの」であり（『獄中記』、一八一頁）、「本来の自己」は別にあるということだ。「普通《ノーマル》であれ」と要請するヘテロノーマティヴな社会の同調圧力の中で、同性愛者のワイルドが「本来の自己」を偽りなく生きることは困難であった。彼がようやくその問題に対峙したのは、牢獄のなかだった。

自分がすべきただ一つのことは、すべてを受け入れることであると。（中略）かくして私が辿り着いたのが、究極の本質としての魂であるのは言を俟たない。多くの点でかつての私は魂に敵対していた。それなのに魂は友人として私を待っていてくれたのだ。魂と触れ合うようになると人は子供のように純粋になる。（同、一八〇頁）

ワイルドが「魂に敵対していた」頃というのは法廷で〝アウティング〟される前ということだが、彼は自分の魂をひた隠しにして、ありのままの自分でいることができないという葛藤に苦しんだ。

ケアにも通じる「苦悩する魂」を中心としたテーマは、『社会主義下の人間の魂』(*The Soul of Man Under Socialism*, 1891) というワイルドの著書においてもっとも明快に論じられている。私有財産制が基盤となり、物質的に豊かな社会では、人間は多くのものを持っているがゆえに偉大な人間であるという自己欺瞞に陥ってしまい、それによって「真」の個人主義は押し潰されるという議論である。そうなると、うっかり「魂に敵対」してしまい、「虚偽」の個人主義が正当化される。*38 つまり、ワイルドは物の豊かさを競い合うブルジョワ社会の価値観を脱したとき、真の魂が自由に躍動できるという考えを持っていた。とはいえ、「死ぬまでに「魂を獲得する」ことのできる人間がこんなにも少ししかいないというのは悲劇である」(『獄中記』、一八〇—一八一頁) とも述べている。

ワイルドの「美」の観念は金箔に彩られた壮麗なものという印象があるのだが、それは、おそらく同時代の画家ジェームズ・ホイッスラーの室内装飾「孔雀の間」の耽美主義様式があまりに有名なせいであろう。たしかに、孔雀といえば、ワイルドの『サロメ』のためにオーブリー・ビアズリーが描いた挿絵も「孔雀の裳裾《スカート》」という耽美的なものだった。しかし、「幸福な王子」の金箔の彫像は決して外見的な「美」を具現しているのでははない。「美」は観念ではなく他者の「生」に関わり合うという実践でもある。ワイルドの耽美主義が誤解を受けやすいのもこの点にある。主人公の王子は一度死んでいる。死後、純金で覆われた彫像としての生を与えられ、目や剣の柄にはサファイアやルビーといった宝石がはめ込まれることで、フランケンシュタインの怪物のような蘇生を果たす。この彫像が町を一望できるところに立てられたため、「この町の醜さやみじめさがすっかり見えてしまうんだ。ぼくの心臓は鉛でできているけれど、やはり泣かずにはいられなくてね」[*39]という状況変化を体験する。それまでは城の囲いのなかで贅沢な生活を送っていた王子は、貧しさの苦しみに気づけなかった。それからというもの、友達になったツバメに金銭価値のある自分の体の一部、たとえば自分の目をくりぬかせ、金箔を剝がさせ、貧苦に困っている人々に届けさせた。「幸福の王子」の一度目の「死」は、利益追求型の世界から抜け出し、真の魂を手に入れる彫像としての「新たな生」を意味する。

ワイルドが己の「魂」を重要視した理由は『獄中記』に綴られている。「物の奴隷になり下がるために自由を浪費する者らや、柔らかな衣服に身を包み王の住処に住む者ら」に対して、彼は憐れみを感じていた。キリストが「「汝の持てるものすべてを売り払い、その金を貧しい者に施しなさい」と言った際、キリストの頭にあったのは貧しい者の状態ではなく、若者の魂のことだった」(同、一八一頁)。ケアの倫理の言説とワイルドの『獄中記』や「幸福な王子」とは驚くべき近接性がある。トロントが新自由主義を牽制する態度は、ワイルドがキリストのイメージと重ねた言葉とも響き合う。

真に平等な社会では、人びとに良くケアされ、ケア関係を作り上げる平等な機会が提供されます。真に正義に適った社会は、現在や過去の不正義を隠すために、市場を利用したりしません。経済的な生活の目的とは、ケアを支援することであり、その逆ではありません。生産とは、目的それ自体ではありません。（トロント『ケアするのは誰か』、六六頁）

社会の「ケア」の認識が時代によって変容するということを、もっともよく理解していたのもワイルドであろう。だからこそ、熾烈な肉体的苦痛を味わった彼が刑務所のなかで書いた『獄中記』には、ケアに関する洞察を経た言葉がある。

芸術家にとっては、表現こそが人生というものを兎にも角にも捉えうる唯一の様式である。彼にとって口のきけない者は死んだも同然である。ところがキリストにとってはそうではなかった。想像力の途方もない広がりと驚異的力――それには畏敬の念を覚えるほどだが――によって、彼は苦しみに満ち、混沌とした声なき全世界を自分の王国とし、**自らをその世界の時を超えた代弁者としたのだ。**先に私が言ったような、圧制の下に声も奪われ「その沈黙は神にのみ聞き届けられる」人々を、自らの兄弟として選んだ。(『獄中記』、一八三頁、太字は筆者)

勿論、「ケア」という言葉は一度も用いられないが、自分と同じ人間であるキリストが自らを「苦しみに満ち、混沌とした声なき全世界」の声の「代弁者とした」というワイルドのキリストの解釈は、とくに読者の共感を呼ぶ。

この考え方は、ワイルドの他の童話にも通底している。「漁師とその魂」(The Fisherman and His Soul, 1891)は、アンデルセンの『人魚姫』の視点を反転させたような物語である。人間ではない人魚に恋をした漁師が「魂」を捨ててまで、あるいは魂に敵対してまで、その愛を成就させようとする。「魂」は自分を捨て去った漁師から切り離され、孤独のうちに悪に染まってしまい、仕返しに漁師を財宝や人間の女で誘惑しようとする。それでも人魚に対する愛が深い漁師は、いかなる利害にも服従しない。この寓話を、『獄中記』の「魂」の物語に重ねてみるとすれば、ヘテロノーマティヴな愛に背を向けても、人魚への「名づけえぬ愛」をまっとうする物語なのだ。

この物語はワイルドの『ドリアン・グレイの肖像』の一節を彷彿とさせる。それはちょうどドリアンが非情にも、自分の内面世界の美を描き出した画家バジルを殺害した後、良心の呵責に耐えかねてヘンリー卿に魂がいかに「現実を映し出す」かという話をする場面である。


「やめてくれ、ハリー〔ヘンリー卿〕。魂は怖るべき実在だ。売買することも、交換で譲り渡してしまうこともできる。これを毒することも、完成へ導くこともできる。人間ひとりひとりのうちに魂があるのだ。ぼくはそれを知っている」

「ほんとうにそうだと思っているのかい、ドリアン?」

「そうとも」[*40]

ワイルドは「恐ろしいほど現実を映し出す自己」を「魂」という言葉で表した。物質的な世界とは違い、誤魔化しのきかないのが魂である。『獄中記』では、キリストが「金を貧しい者に施しなさい」と言った際、彼の頭にあったのは貧しい者の状態ではなく、「若者の魂のことだった」と説明している。ワイルドが「豊かさにより損なわれつつある彼の魅力的な魂のためを思っての言葉だった」と言うとき(同、一八一頁)、読者である私たちは彼が生きた一九世紀末が、今の新自由主義の世界とあまりに重なり合うことに驚く。

そもそもワイルドにとって、「ありのまま」の自分というのはどういう自分だったのか。「法・社会・モラル」に打ち捨てられた自分に嫌悪を向けないでいられるか——『獄中記』では、このような疑問を(ボードレールの言葉を引きながら)投げかけている。「ああ主よ！　ぼくに力と勇気とを与えたまえ、／この心とこの肉とを嫌悪なく見詰めるだけの！」また、「シェイクスピアのソネットからその愛の秘密を引き出し（中略）それを自らのもの」[*41]とすることを頼みの綱にするモチーフは「W・H氏の肖像」にもあった。先述したとおり、これは少年俳優である「越境者」の物語だが、同時に彼の「肖像」の物語でもある。作家シェイクスピアが『ソネット集』にこの少年俳優ウィリー・ヒューズへのクィアな愛を書き綴っていたのだが、この小説でもっとも重要なポイントはウィリーの肖像画が「贋作」であったという事実だ。ワイルドは、美しい彼の姿を映し出す肖像画があえて「本物」であると保証しない。彼の思想の根底には「贋作」、つまり演技同様に「ニセモノ」こそが人間の本質であるという考えがある。

ここで注目すべきは、ほかのところと同様、シェイクスピアがウィリー・ヒューズに約束している不死性が、人の眼にうったえるかたちをとるということ――つまり、スペクタクルというかたちをとること、観られるものとしての演劇というかたちをとるということ。（「W・H氏の肖像」、五三頁）

この演劇性というテーマは、『ドリアン・グレイの肖像』にもある。主人公のドリアンは、役柄に生命を吹き込む舞台女優のシビル・ヴェインについて「彼女は生まれつきの芸術家なのだ」(She is simply a born artist)と称えている。シビルはまるでシェイクスピアの登場人物(ロザリンドやジュリエット)そのものであると感じられる演技をし、さらに少年の格好をした両性具有的な姿がドリアンを魅了するのだ。[*42] ところが、皮肉にもシビルが彼女らしさを発揮したとたん、ドリアンにとっては凡庸な演技にしか感じられなくなる。ドリアンが夢中だったのは、ロザリンドやジュリエットが憑依した、性別が流動的なシビルであって、女性らしい現実世界のシビルではない。『ドリアン・グレイの肖像』は、逆説が主題でもある。ドリアン自身の魂もじつは画家のバジルが描いた肖像に内在しており、ドリアン本人は皺ひとつないアーティフィシャルな「贋物」である。ドリアンが「自分自身の一部」とさえ感じていたその肖像画を切り裂いたとき、彼自身の命が奪われる結末は、究極の皮肉といえるだろう。

この小説には、「本物が帯びる固有性や特異性に拘束されること」がない演劇性が表現の自由や創造性に価値を与えるというテーマがある。そしてまた、『ドリアン・グレイの肖像』における「芸術/本物」と「贋作/キャラクター」の差異の曖昧さにも繋がっている。男性の愛に応えようとするあまり、女性らしい女を「演じすぎる」現実世界のシビルは、ドリアンにとってはかえって「贋作/キャラクター」という印象を与え、彼の「愛を殺してしまった」のだ。[*43]

4. 三島由紀夫の〝同苦〟

ワイルドの美学に感化されたであろう、あるいはその影響が見られる三島作品を挙げるとすれば、その候補はいくつもあるだろうが、ここでは特徴の似た二つの作品を見ていきたい。一つは、三島が「オスカア・ワイルド論」を書いた数年後に発表された『金閣寺』で、もう一つは三島自身が愛着を持っていたと言われている『美しい星』である。[*44]

『美しい星』は、核兵器を持った人類の滅亡をめぐる現代人の不安を描いた小説として知られているが、視点人物たちが異星人であることを考えると、ワイルド的、あるいはアンデルセン的な「人間と非人間」の関係性を描いた小説ともいえる。二〇二〇年一〇月に刊行された『彼女たちの三島由紀夫』（中央公論新社）収録の北村紗衣氏によるエッセイ「地球人には家族は手に負えない――クィアSFとしての『美しい星』」では、この小説が「変わり種」であるとされてきた理由が「人類の危機」を描いているからだけではない点をクィア性という主題に見出している。北村によれば、自分たちが異なる星からやってきたことに大杉家のメンバーが目覚めるとき、「家族という閉じた共同体の薄気味悪さ」が浮かび上がる。[*45]つまり、異化されることによって、当たり前のものとして受け入れられている「家族」を問い直す視点があるという鋭い指摘である。

職業化されたもの以外の「ケア」がすべて「家族」に集約されてしまう現代社会の問題を打開すべきであると主張するトロントの議論を思い出すなら、三島の『美しい星』と初期の同性愛を主題とした『金閣寺』との連続性を考えてみるべきだろう。『金閣寺』では、異性愛中心的な「生／性」、あるいは家族の「生殖」の営みと「死／美」の世界との対立が描き出されていたが、『美しい星』でも同様の葛藤が描かれている点は特筆すべきである。

『金閣寺』は、実際に起きた「金閣寺放火事件」から着想を得た三島が、独自の人物造型や、彼の美の観念を加えて構想した作品である。主人公の溝口は、最上の美として思い描いていた「金閣」の観念が、しばしば女性と自分とのあいだに立ち現れて「生」を無化してしまうことに思い悩んでいる。また、幼いころからの虚弱体質や生来の吃音といったコンプレックスが邪魔をして、溝口が「生」を全うしようと、苦手意識のある女性と性行為に及ぼうとしても、必ず「金閣自らがそういう瞬間に化身して」しまうのだ（『金閣寺』、一三五頁）。「美」と「生」はそれぞれ「観念／精神」と「異性との性行為／肉体」の寓意として読め、互いに断絶し合っている。[*46] 三島自身は『金閣寺』を書きながら肉体改造にのめり込んでいくが、興味深いことに、この小説で描かれる「生」を継続させるための肉体の活動は鍛錬ではなく、生殖／繁殖である。逆説的ではあるが、美しい金閣が滅びると無力《ヴァルネラブル》である一方、「生《しょう》ある」モータルな人間が滅びても復元力《リジリエンス》があるという対照が描かれる。人間は、「繁殖する」ため、金閣のように厳密な一回性を持っていない。「そのようにして金閣と人間存在とはますます明確な対比を示し、一方では人間の滅びやすい姿から、却って永生の幻がうかび、金閣の不壊の美しさから、却って滅びの可能性が漂ってくる。」*47 ワイルドの「幸福な王子」を彷彿とさせる対比である。生身の人間であった幸福な王子は彫像として蘇生するが、ひとたび美しいモノとなった後に溶鉱炉で溶かされると、そこには滅びしかなく、「金閣」と同様の一回性が象徴されている。

「金閣」（観念ではなく建造物）に火をつけた後、溝口には咄嗟に「金色《こんじき》の小部屋」を探し求めて「火に包まれて究竟頂で死のう」という考えが浮かんだ。『金閣寺』に描かれる死の欲動は、やはりワイルドの死のテーマを連想させる。「ナイチンゲールと薔薇」で鳥が自分の胸を刺して息絶える場面や『ドリアン・グレイの肖像』で自分の肖像を引き裂く場面を想起させる。クィアな芸術家として二重生活を送るワイルドの所在なさには、苦痛の確かさで救われたい、あるいは、それによって得られる快楽で埋め合わせをしたいというマゾヒスティックな衝動があったのだろうか。三島はこのような「ワイルドの苦痛は、自ら刺されるために人を刺すことの苦痛だ」（三島由紀夫「オスカア・ワイルド論」、二九〇頁）と表現する。*48 ワイルドは『獄中記』のなかで、「他者」のために物を与えたり、奉仕したりするのではなく、すべては自らの「魂」のためにするのだと説いている。ワイルドのケアの倫理は、「他者」を媒介して「多孔的な自己」を見出していくというものだ。戦後の高度経済成長により日本社会が豊かになっていくなかで、スピリチュアルなものより物質に価値を見出すようになる社会を辛辣に批判する三島の発言とも奇妙に重なり合う。

『金閣寺』の最後の場面では、溝口が入ろうとした小部屋への戸が開かず、「拒まれているという確実な意識」が生まれる（『金閣寺』、二七六―二七七頁）。つまり、「死」に締め出されたという意識である。その直後、燃え盛る建物の戸外に出た溝口の心に浮かぶ最後の言葉は「生きようと私は思った」であった。「美の倫理」――あるいは、死の倫理――に弾き飛ばされた溝口が生き残ったとき、日本社会で彼に与えられている選択肢は、「生」を拒絶しつづけるか、あるいは伝統的な「家族」を作り、子どもを儲けることであったはずだ。そこには彼がどうしても受け入れられなかった性の営みがある。にもかかわらず、「生きようと思った」という言葉で小説を終えている点に、筆者は希望を見出す。三島は、ヘテロノーマティヴな価値観を深く内面化し、「男らしさ」を強調する軍服に身を包みながらも、日本の悪しき家父長制文化に対して両義的な感情を抱いていたようだ。平野啓一郎によれば、三島は「日本人」と「人類」という分類について考えてもいた。[*49] 日本人を「〝人類〟というカテゴリーへと還元しようとする」考え方に「徹底して否定的だった」三島が、じつは未完の『日本文学小史』（一九七二年）では、「ヒトというサブスタンスに基づく「底辺の国際主義」がある」と考えていたという指摘はきわめて重要であろう（平野啓一郎「『豊饒の海』論」、六九頁）。しかも、「ここには、人生を終わらせようとしていた三島ではなく、現在進行形で思索し続けている三島の姿がある」と書かれており、そのこと自体が意味をもつようにも思われる（同、六七頁）。また、「日本及び日本人という「一貫した統一した」イメージからは乖離した多様性が提示されれ」ているという指摘もある[*50]（同、七〇頁）。『美しい星』の物語に他の三島作品と比べてどこか風変わりな印象があるのは、『金閣寺』で主人公が最後に言った言葉を引き取って、クィア性への道をつけたからではないだろうか。

『美しい星』は、埼玉県飯能市に住む大杉家の家族四人がそれぞれ円盤をみて別の星からやってきた宇宙人であるという意識に目覚める物語である。日本の家父長的文化から距離を置きながらも、人間の肉体をもつがゆえに危うさを保持する「宇宙人」の視点から描かれる。

『美しい星』では、「生」に関わる人間の肉体や生殖からかけ離れた「美の倫理[*51]」というものを、竹宮という宇宙人（金星人）に具現させている。彼の描写には『金閣寺』の溝口との近接性が見え隠れする。女性を忌避し、「生」を享受できない自己像は、『美しい星』では竹宮が象徴している。竹宮は、溝口と同じように「生」を拒絶させる美の観念に憑りつかれ、「あるべきだと考えるものは、決してこの世に存在しない」（『美しい星』、八一頁）。「世界に少しも知られずに、埃だらけの美の中に埋没してしまうこと」（同、八〇頁）を受け入れる竹宮は、性的な官能からはほど遠いキャラクターでありながらも、ドリアンのように死に限りなく近い美の体現者という点ではよく似ている。竹宮は同じ金星から来た大杉暁子と出逢うが、二人の関係性は逆説的に〈女性との没交渉〉や〈生の否定〉というモチーフを際だたせている。なぜなら、竹宮とのあいだに性交渉がないにもかかわらず、暁子が妊娠するからだ。「あの人と私とは、接吻はおろか、手を握り合ったこともないんです」（同、一八九頁）と彼女が言う通り、二人は生殖に関わる行為には及んでいない。また、お腹の子どもの父親である竹宮は途中で姿を消してしまい、子どもが生まれた後にどのような「家族」が構成され、誰が子どもをケアするのかは読者の想像力に委ねられている。『美しい星』はまさに矛盾に満ちた小説である。俯瞰的な視点を獲得した「異星人」の大杉家四人が地球を救うために様々な努力を重ねる点で、「幸福な王子」のアダプテーションとして読めなくもない。幸福な王子は高い見地からしか哀れな町の人々の困難を見渡すことができなかったからだ。皮肉なことに、幸福な王子は人間として死んだあとに彫像になり、他者をケアするという〝人間性〟が与えられた。三島にとっても、死は人間の生に意味を与える概念であった。

小林秀雄が言ってますけど、**人間は死んだとき初めて人間になる。人間の形をとる**と言うんです。なぜかというと、運命がヘルプしますから。運命がなければ、人間は人間の形をとれないんです。ところが、生きているうちは、その人間の運命が何かわからないんですよ、予言者でなければ。*52

ワイルドと比較したとき、竹宮の鳥瞰的な美の倫理は、ワイルドの耽美主義を彷彿とさせながらも『獄中記』で表明された彼の倫理観からは遠くかけ離れているかもしれない。しかし『美しい星』は、「宇宙人」の霊魂が生身の肉体に宿っただけの「人間」の物語としても読めるのである。その点では、「死」が契機になって人間性を獲得した「幸福な王子」の物語とよく似ている。小説の結末では父親重一郎の迫りくる「死」が両義的に描かれている。重一郎が癌で危篤状態になるとき、実際に宇宙から円盤が現れたのか、あるいは円盤に現れてほしいと願う暁子たちの思いが見せた幻なのか判然としないからである。円盤が現れなければ、危篤の重一郎は間もなく死を迎えるモータルな存在と化すのだが、彼の存在の弱々しさからはそちらの結末のほうがリアリティがあるように感じられる。「宇宙人の鳥瞰的な目」（同、一〇七頁）を持つ不死性を象徴する存在であった重一郎が、最後に突如として「死」を意識するのだ。

『金閣寺』は、「生」と「美」の激しい相克が決着をみないまま、主人公が「美」に締め出され、「生」のなかに放り出されたような終わり方をしている。「家族」を作るという肉の活動、あるいは生殖の営みに向き合うことができたのかどうか宙づりのままである。『美しい星』で、大杉家の家長たる父親の重一郎は、人間たちの歌を「考えられるかぎり猥褻で、又すずやかなその旋律」といくらか侮蔑的に形容し、「こんなものを愛することができようか?」と呟く（同、三四八頁）。クィアな芸術家が「美」を理解しない凡庸な人間から距離を取るような態度は、竹宮の「美の倫理」を映し出しているようにも思える。しかし、次の重一郎の言葉からは、マッチョな「緩衝材に覆われた自己」とは対照的な、多孔的な自己像が映し出され、「底辺の国際主義」とも感じられる。

生きてゆく人間たちの、はかない、しかし輝かしい肉を夢みた。一寸《ちょっと》傷つけただけで血を流すくせに、太陽を写す鏡面ともなるつややかな肉。あの肉の外側へ一ミリでも出ることができないのが人間の宿命だった。しかし同時に、人間はその肉体の縁《へり》を、広大な宇宙空間の海と、等しく広大な内面の陸との、傷つきやすく揺れやすい「明るい汀」にしたのだ。（同、三四九頁）

重一郎は、宇宙人の意識をもちながらも人間として癌を患い「死」が迫りくる経験をしている。ちょうどそのとき、鳥瞰的な視点から全人類的な視野をもちつつも、竹宮のように完全に距離をとるのではなく、自分の内にある人間の「はかなさ」や「一寸傷つけただけで血を流す」ような弱さを「広大な宇宙空間の海」の「明るい汀」に喩えながら、〝自分事〟としてその傷つきやすさに深く共感している。ここに、三島の真の全人類的な視座があるのではないかと思う。

　このような視座を獲得するには、三島にとっての「生」の体験が必要だったのだろう。『金閣寺』刊行の年（一九五六年）、すでに肉体改造を始めていた彼は神輿を担ぐ体験をしている。竹宮のように人間の肉体が関与する生の活動を遠くから眺める傍観者然とした生き方は、三島の幼少期の肉体面での劣等感を想起させる。ヘテロノーマティヴな文化に身を置きながら、虚弱体質が彼に「男らしい」活動に関与することを許さなかった。遠くから神輿を担ぐ青年たちに憧憬の気持ちを抱いていた三島にとって、肉体改造は「男らしさ」に近づける手段であったのだろう。彼が「「肉体のあけぼの」と呼んでいるところの、肉体の激しい行使と死なんばかりの疲労の果てに訪れるあの淡紅色の眩暈を知るにいたってから」、言葉と世界の関係性が変わったという。[*53]

> 力の行使、その疲労、その汗、その涙、その血が、神輿担ぎの等しく仰ぐ、動揺常なき神聖な青空を私の目に見せ、「私は皆と同じだ」という栄光の源をなすことに気づいたとき、すでに私は、言葉があのように私を押し込めていた個性の閾を踏み越えて、集団の意味に目ざめる日の来ることを、はるかに予見していたのかもしれない。（中略）演説は演説者の、スローガンは煽動者の、戯曲の台詞は俳優の、**それぞれの肉体によりかかっている。**紙に書かれようと、叫ばれようと、集団の言葉は終局的に肉

体的表現にその帰結を見出す。（中略）集団こそは、言葉という媒体を終局的に拒否するところの、**いうにいわれぬ「同苦」の概念**にちがいなかった。（「太陽と鉄」、九〇―九一頁、太字は筆者）

「太陽と鉄」（一九六八年）で言及される「肉体」とは必ずしも生理学的な「男」「女」ではない。鍛え抜かれた肉体を誇示するという点では、たしかに西洋近代社会で理想化されてきた「緩衝材に覆われた自己」、あるいは「男らしさ」を象徴してもいるが、集団の「同苦」は互いに痛みを共有するという点で、スピリチュアルな「多孔的な自己」を意味し得る。西洋の輸入文学の影響を受けていた三島にとって、啓蒙期以降に浸透するようになった「自立した個」とも、正義の倫理論的な自己像ともいえる「緩衝材に覆われた」イメージは抗いがたい魅力を湛えていたのかもしれない。「自分自身を決して脆弱ではない存在者として、つまり、自らを事物の意味の所持者であると理解することができる」[*54]、そういう「男らしい」自己を三島は肉体改造というプロセスを経て手に入れた。「それぞれの肉体によりかかっている」と書かれている「肉体」とは俳優が演じることで芸術的に表現し、作り出してゆく流動的で「多孔的な自己」である。「その同苦によって、はじめて個人によっては達しえない或る肉の高い水位に達する筈であった。そこで神聖が垣間見られる水位にまで溢れるためには、個性の液化が必要だった」（同、九一頁）。この文脈はおそらくニーチェの悲劇的芸術の議論におけるディオニュソス的陶酔を暗示していると思われるが、そうであったとしてもジェンダーの両義性を孕んでいる。

ここまでワイルドと三島の作品を比較しながら分析してきたが、二人に共通するのは、彫像、人魚、鳥、侏儒《こびと》、打ち上げ花火、肖像、金閣寺、宇宙人といった非人間的存在のアレゴリーを用いながら、クィア性を浮かび上がらせていることだ。そして、クィアへの共感のまなざしを作品に反映している点も興味深い。文学は一つの国に留まらず、国を越境して多様な人の心に響いている。ワイルドの文学や彼の残した言葉は日本にまで届いて三島の心を揺り動かした。三島はワイルドのことを「彼は伝記に書かれるために生活した」（「オスカア・ワイルド論」、二九三頁）と書いているが、三島の人生もまた伝記が綴られるにふさわしい劇的なものだった。生があって言葉があるのか、あるいは言葉があって生があるのか、この二つが混然一体となっている世界観である。

5．多和田葉子の言葉のケア

言葉が越境して人の人生をも変えるということでいえば、多和田葉子は言葉が外からやって来るのを待たずに、自分から日本の外に飛び出して言葉に出逢った作家である。日本語というひとつの言葉に縛られることを拒み、一九八二年にドイツに渡った。外国語を習得することで増えるのは語彙だけではない。言語が生み出す思考やイメージもまた豊かになる。「犬婿入り」（一九九二年）は異類婚をモチーフにした民話のような物語だが、この小説にはカフカの影響が見てとれ、「ゴットハルト鉄道」のアダムとイブの物語など、多和田文学ではさまざまな国に伝わる神話や民話が数多く言及される。彼女の小説世界の魅力のひとつは間違いなく多国籍性であろう。多和田は「言葉の檻」という表現を用いながら、日本語という母語から自由に解き放たれることの意義を伝えてもいる。彼女は二言語を運用できることを「二つの檻」と形容し、次のように説明している。「言葉に社会が縛られることがあると思います。考え方にも影響を与えますし、ある特定の言葉では、自分自身をそのコントロールからなかなか解放することができません[*55]」。「エクソフォニー」（母語の外に出ること）にもコミットしている作家だが、言葉の越境とは多和田文学の核心部にある。母語の外に出るということは不安になることでもあるが、「二つの檻があれば、その両方を行き来できる自由」が生まれるという。

多和田の短篇「ゴットハルト鉄道」には、海外を旅する女性が得た「自由」を象徴的に表す場面が描かれている。短篇集『ゴットハルト鉄道』の解説を書いた室井光広は、多和田作品のキーワードを「日本語文芸の「数千年の根柢」をなす妹の力を有する〝物狂いの少女〟の原像」であると述べている[*56]。「ゴットハルト鉄道」の語り手が列車に乗ってトンネルを抜けるとき、その内壁に祠のような空間が開いていて、そこに「小さなマリア様の像が立っている」のを見る。一瞬の出来事だが、語り手は「意識の凍結の時間だったのかもしれない」と回想する。*57 多和田の小説は「法・社会・モラル」に縛られる偏狭な世界観から颯爽と逃れる、クィアな存在を創造的に描き出している。そこには、人間を国籍や男女二元論という「言葉」に閉じ込めることなく、地球上に存在する生命体としてのヒトを見つめる越境する視点がある。

『献灯使』には、ワイルドや三島が夢想したようなギリシア時代の美の象徴である完璧な肉体とはあまりにかけはなれた世界が描かれている。しかし不思議なことに、この小説には、『獄中記』や「太陽と鉄」のなかで彼らが告白しているような人間の不完全さ、あるいは肉体の虚弱と共に生きる「横臥者《ホリゾンタル》」と彼に寄り添う共感者の視点がある。義郎は東京に住む一〇八歳の作家で、曾孫の無名は他の子どもが皆そうであるように、身体が自由に動かず、微熱を発している。他方、義郎たち老人は頑丈で敏捷な肉体を持っている。義郎が曾孫の無名を育てるケア文学ともいえるが、ワンオペ問題に悩むのが男性の老人という設定になっていて、驚かされる。この小説でもウルフが「病気になるということ」というエッセイで描写しているような病人の「横臥者」と健全な「直立人」の対比はあるが、ウルフが忌避していた健康な人間からの見下す視線というものはない。義郎の目線は常に横臥者と同じレベルに保たれている。この小説では、人の助けが必要でありがちな老人が介護者で、元気なはずの子どもが障がいをもつ病気がちの横臥者という反転が起きているのだから、それも理解できる。身体が不自由な無名にケアを提供する義郎の言葉のひとつひとつにも力がある。無名が生まれたばかりのとき、義郎は途方にくれたが、曾孫である赤ん坊を育てることを受け入れるのだ。

義郎は、ミニチュアのような赤ん坊〈曾孫〉の手を握って小さく動かし、大声で泣き笑いしたい気持ちが爆発し、口から思わず飛び出してきたのが、「二人で頑張ろう、同僚」だった。これまで使ったことのない「同僚」などという言葉がなぜこの瞬間出てきたのだろう[*58]。

生まれたての赤ん坊に「同僚」と呼びかけるなかに、義郎の小さな生命に対する尊厳の気持ちが感じられる。依存症の孫が子育てを放棄してしまい、他にこの生命を守る人間がいないと分かったとき、義郎の中で「泣き笑いしたい気持ちが爆発」する。しかし、その直後に口から出た言葉が「二人で頑張ろう、同僚」というのは胸を突かれる。ここには、家父長的な父と子という序列関係が存在しない。

無名が生まれて父親になった孫の飛藻に義郎が「自分の子がかわいくないのか」と尋ねたとき、飛藻は「俺の子かどうか、どうしてわかる」と言い返す。つまり、義郎にも「自分と無名は遺伝子がつながっていないかもしれないのだ」という逡巡があった（『献灯使』、一一九―一二〇頁）。それでも、「二人で頑張ろう、同僚」という言葉が口をついてでたところに、ケアの倫理がある。

「なんのために？」という問いが失効するところで、ケアはなされる。こういうひとだから、あるいはこういう目的や必要があって、といった条件つきで世話をしてもらうのではなくて、条件なしに、あなたがいるからという、ただそれだけの理由で享ける世話、それがケアなのではないだろうか。*59

これは鷲田清一氏の「ケア」と「倫理」の両方の本質を捉えた言葉である。義郎が無名をケアするとき、そこには「目的」や「必要」はない。「あなたがいるから」という理由だけで、相手に自分の時間も労力も捧げるのである。

「倫理《エシック》」というのはいわゆる「道徳《モラル》」とは異なり、具体的な状況に対してどう振る舞うかに関わる。伊藤亜紗氏がこの二つを区別するためのきわめつけの例を挙げているので、ここで紹介したい。伊藤氏が息子を連れて渡米したときのこと、街を散歩しているときに向こうから「四〇代くらいの太った女性がふらふらと揺れながら」近づいてくる。「乱れた身なりと手を差し伸べている様子から、物乞いをしようとしていること」はすぐに分かったという。危険を察知したため、息子の手を引っ張ってその場から離れたのだが、その直後に「息子がパニックを起こしたように大泣きをし始めた」。物乞いをしているかわいそうな人をなぜ助けなかったのか、「ぼくがもし病気になったり障害を持ったりしたら、みんなに冷たくされるのか」「困っている人がいたら助けましょう」と学校の道徳の授業では教わっている。そういいながらパニックになったというのだ。[*60] たしかに親がそれと反対のことを目の前でしたら、パニックになるのも分からないでもない。自分の母氏はこの状況を、「道徳と倫理のあいだで引き裂かれていた」と言語化する。彼女は、人をいかなる状況でも助けるというモラルの規範が「絶対的ではない」ということも「従うのが最善ではないかもしれないということ」も倫理的に考えていたのだろう。伊藤

「倫理に「迷い」や「悩み」がつきものである、ということは、倫理が、ある種の創造性を秘めているということを意味しています」(伊藤亜紗『手の倫理』、四〇頁)という伊藤氏の言葉には、ネガティヴな状況をポジティヴに変えていこうとする、これまでのケアの概念にはなかった斬新さがある。これはまさに義郎がケアを実践するなかで取り入れていることなのかもしれない。他者をケアするとき、そこにはどうしてもルールや規範が介在する、あるいは介在してほしい、よけいな迷いは時間や労力をも増やしてしまうという気持ちが生まれる。人間が道徳規範に頼る根本的な原因は、言葉の創造性の欠如にあるのかもしれない。家父長制社会におけるモラルの規範は、父親であれば、あるいは母親であれば、子どもを育てなければならないというものだ。つまり無名の父親である義郎の孫の飛

藻にはルール上、子育ての責任がある。だからこそ、飛藻が依存症であることが分かっていながらも義郎が「自分の子がかわいくないのか」という道徳の言葉を吐くのだ。ただ、孫の不道徳を責めた後「思わず陳腐な台詞を吐いてしまった」と、自分の創造力のなさを反省している（『献灯使』、一一九頁）。義郎はそうしていつも「同僚」という関係性に立ち戻っていく。

伊藤氏はこうも言っている。「不道徳であるのは、単に道徳に反するからではありません」（『手の倫理』、二〇〇頁）。人間の身体は「法・社会・モラル」を模ってできているのではなく、さまざまな身体の感じ方の違いを調整してアップデートしていくものなのだろう。触覚は伝統的に欲望やセクシュアリティと結びつく感覚だけに、状況によっては（道徳的に、あるいはその場にいる人にとって）「タブー」であると認識される反応を身体がしてしまい、当事者でさえ不快感を抱いてしまうことだってある（同、一八一頁）。このちぐはぐさがあるからこそ、逡巡することに価値を置く「倫理」が必要なのである。「法・社会・モラル」と人間の個々の身体の乖離を埋め合わせるのが「倫理」だとすれば、それは、一人一人が与えられた状況で自分がどう感じるかだけでなく、相手がどう感じるかも意識しながら、あるいは過去や未来の自分、家族、友人の姿を想像しながら判断していくような、人間的な思考プロセスでもある。ギリガンが提唱した「ケアの倫理」でいうところの実生活における「ジレンマ」でもある。多和田文学はそういうジレンマや葛藤をも素材にしながら言葉を紡ぎ出す。

『献灯使』は、迷いや不安でさえ創造性を秘めているというエピソードのオンパレードである。無名を介護する義郎はいつも迷いや逡巡を創造性に変えている。とりわけ印象に残るのがオレンジジュースを作るところである。痛みや微熱が常態化している子どもを生き延びさせたいという思いから、義郎は自分では飲まずにすべて無名に飲ませようとする。

真っ白な瀬戸物の刃に擦り込まれて橙色の汁が流れる。血でも涙でもなく、毎日オレンジ色の果汁をドクドク流しながら生きていきたい。橙色の含み持つ朗らかさ、暖かさ、身の締まるような酸っぱさと甘さを自分の中に取り込んで、腸に太陽を感じたい。（『献灯使』、四五頁）

「血でも涙でもなく、毎日オレンジ色の果汁をドクドク流しながら生きていきたい」というのは、義郎が今にも途絶えそうな無名の弱々しい命の灯を燃やし続けるために、「太陽」を注ぎ込もうと「オレンジ色」の「ドクドク」した飲み物を取り込ませる生の言葉である。多和田の作品は、個々の言葉の手触りのようなものを生かしながら、人間の肉体の存在を強烈に感じさせる描写が特徴である。言葉が生をかたちづくるようなプロセスを、義郎の語りが見せてくれる。

無名、待っていろ。お前が自分の歯では切り刻めない食物繊維のジャングルを、曾おじいちゃんが代わりに切り刻んで命への道をひらいてやるから。俺は無名の歯だ。無名、太陽をどんどん体内に取り入れろ。自分はサメだと思ってごらん、口の中には立派な歯が並んでいる。見ただけでみんなが逃げていくような大きな尖った歯だ。唾液は満ち潮、波の襞がひたひた押し寄せてくる。お前は喉の筋肉がすごく発達しているからね、地球をそっくりそのまま呑み込んでしまうことだってできるよ。（同、四一頁）

ここには言葉のもつ物質性とも呼べる力がある。当然、無名にはサメのような「大きな尖った歯」はない。ただ人間は肉体だけでできているわけではなく、精神や想像力で支えられて生きてもいる。義郎の言葉は無名の後者の生に注ぎ込まれていくのだから、目に見えなくとも言葉は〝血肉〟になる。その証拠に、無名も言葉の感性に優れた一五歳に育った。外来語が使えなくなっている日本で「トイレ」は死語になっているが、無名は過去に使われていた言葉に思いを馳せ、「トイレ」を「ト」と「入れ」の組み合わせなのかもしれないと考えて、それが意味と矛盾する可能性について思索している。「出す場所なのに入れるという言葉の矛盾を感じた」無名は、彼の世界に設置されている「男女共同で、赤、黄、青、緑など鮮やかな色の飛び交う楽しい空間」としての厠《かわや》と比較する（同、一三四―一三五頁）。かつて「トイレ」という場所が早く用事をすませて立ち去るべき場所だった時代がどのような時代であったか想像をめぐらせるところに、おそらく無名が最後に「献灯使」に選ばれて、日本という狭い囲いの外に出られる権利を与えられる理由があるのかもしれない。

多和田の作品では、想像力と言葉が現実の世界を作っていくという力強い作品として『星に仄めかされて』も挙げたい。この小説は、自己と他者が一緒に遠くまで歩いていくような「水平」のイメージが、多角的な視点から浮かび上がるような物語である。北欧に留学中に日本と思しき母国を失ったＨｉｒｕｋｏが同郷人のＳｕｓａｎｏｏに会うために国境を越え、彼女を慕う文化的、言語的背景がばらばらのクヌート、ナヌーク、ノラ、アカッシュらとともにコペンハーゲンに集結する。言葉の創造性はこの作品でも遺憾なく発揮され、たとえば、Ｈｉｒｕｋｏは義郎の創造性を受け継ぐ正統な後継者とでもいわんばかりに、言葉を生み出していく。彼女が創り出した言語は「パンスカ」と呼ばれていて、「汎」という意味の「パン」と「スカンジナビア」を組み合わせた造語である。この「パンスカ」は実験室で作ったものでも、コンピュータで作ったものでもなく、何となくしゃべっているうちにできてしまったという血の通う言葉なのである。*61 言葉が生命と関わっているということは、古くからある民話やおとぎ話がしばしば痛みや生命と関わっているのに似ている。ワイルドの「幸福な王子」も「ナイチンゲールと薔薇」も他者をケアする物語ではあるが、そこには深い痛みが刻み込まれている。『星に仄めかされて』でも「因幡の白兎」に触れられている。自己中心的な兎がワニを騙して対岸に渡ろうとした「高慢、傲慢、欺瞞」[*62]への教訓として学ぶのも、毛をむしられるという痛みであった。

Ｈｉｒｕｋｏの友人たちはみな言語も性的指向も文化もばらばらだが、それぞれがこの「高慢、傲慢、欺瞞」と闘いながら互いを理解しようと対話を続けている。Ｈｉｒｕｋｏは「いつもクヌートとくっついているのに恋人関係にはならない。他に恋人がいるわけではないし家族も一人もいない。それなのに飄々として生きている」（『星に仄めかされて』、一六一頁）。二人のそういう関係をみつめながら、自分は好きな人とどういう関係を築けばいいのか悩むのは、トランスジェンダー女性のアカッシュである。クヌートとＳｕｓａｎｏのあいだでも「言葉の暴力」をめぐって誤解が生じたり（同、二八六頁）、「母親に性欲があることがどうしても許せない」という自身の抑圧をクヌートは誰にも話せないでいたり（同、二八八頁）、いつも新しい葛藤に晒されている。しかし、家父長的な社会で「正統」とされていることから逸脱するセクシュアリティや異文化の習慣について対話しながら解決しようとする態度は、彼ら全員に共通する性質である。その態度は、クヌートとＨｉｒｕｋｏとの対話の中で象徴的に語られる。

「深い、は違う。深い、は垂直。奥は水平。」
「そうか。**水平か。地面に穴を掘って入っていくんじゃなくて、遠くに歩いていけばいいんだ**。僕らは一緒に遠くに歩いて行こう。」（同、六九頁、太字は筆者）

多様性を排除する愛国心ではなく、友情で「水平《ホリゾンタル》」に繋がる関係性は、兎が学ぶ教訓という神話性とも重奏的に響き合う。クィアで異質な人間に出逢ったときの逡巡に新たな光をもたらしている。

むすび

人種、男女、性的指向、国籍などをめぐる分断の問題に直面した作家たちによる文学作品は、越境的な視座を提供してくれている。互いの偏見や誤解を取り除くには、「水平」に広げられた視野をもつことが肝要であるというメッセージがある。

ワイルドの童話に寓意的に描かれた愛他精神は困窮する人々、自分の外見で悩む人々、あるいはクィアな愛に悩む人々の苦しみに寄り添っている。三島の物質性／マテリアリティと精神性／スピリチュアリティの二元論はそう容易く解きほぐせないところはあるものの、他者へのケアを媒介として自己の魂を磨くというワイルドのケアの思想からも影響を受けていたようだ。

ワイルドがインスピレーションを受けたロマン主義の詩人たちは、「人間の「最も内面的なもの intimus」」、最も奥底にあるものを対象として「内面の日記 journal intime」を書いた。[*63] サミュエル・テイラー・コウルリッジが残した膨大な『備忘録』（*The Notebooks*）は日々の生活で彼に起こったことの記録であるだけでなく、彼の想像力で生み出した比喩などで溢れている。理性の力から解放された無意識が自由に闊歩する場としての夢の記憶を辿ったり、彼が心を寄せる女性に対する情念も綴られている。コウルリッジのこのような深い内省の結果生ずる詩的な閃きも、覚え書きとして残されている。[*64] キリスト教の伝統によればこのような記述は「霊的生活の分野のこと」で、「「魂の内的動き」の記録」でもある（アラン・コルバン編『感情の歴史Ⅱ』、二六五頁）。ワイルドにとってそのような記録が『獄中記』であるなら、三島にとっては「太陽と鉄」だろう。[*65] 文学作品はそのような魂に服を着せたようなものなのかもしれない。

ワイルドも三島も多和田も「言葉」と「生」の問題に真摯に向き合った作家である。多和田はエッセイのなかで、言葉の常識にとらわれないのが「作家」だと書いているが、それができるのは、常識を置き去りにしているからだろう。彼女は「作家」になるということはある意味で「もののけ」のような「変幻自在に変身する者」（shapeshifter）になることであるという。[*66]「物書き」と「物の怪」が同じ派生語からきているとも説明しているが、彼女の生命力迸る創造的な言葉が登場人物に実体を与え続けるという意味では、まるで魔術師のようだ。ウィリー・ヒューズという「越境者」を生み出したワイルドもまた同じような才能に恵まれていたし、三島の構想した『美しい星』のプロットの突飛さもまた常識を超えた創造力に満ちた試みであった。『献灯使』では、義郎の迷いや不安を創造力で乗り越える力、そして無名の痛みと共存してゆこうとする力からも、ある意味で旧来の「男らしさ」が剝がれ落ちている。近代社会が頑迷に守ってきた異性愛中心の家族形成を抑圧だと感じる人、あるいは今の常識にあてはまらない生き方を選ぶ人へのケアとして、こんなにも豊かな文学があることを知ってほしい。

3章　弱さの倫理と〈他者性〉

1．ケアの倫理が問い直す正義論

「権利」という概念は一七世紀になって生まれ、さらに一八世紀の啓蒙時代には個の「人権」という考え方が広く受け入れられるようになった。人権とは、「その権利を有する者が持って当然であるものを持つ、正当化された要求、資格、あるいは主張」という意味である。[*1]「当然であるものを持つ、正当化された要求、資格」が、いかにして平等に分配されうるのかという問いをめぐっては一八世紀の政治思想家エドマンド・バークをはじめとして、これまで数多くの思想家たちによって論争が繰り広げられてきた。しかし、人権に関する議論は、男女の性別、性的指向、人種の差異を越えた包括的な「人間の権利」という字義通りの意味とは裏腹に、白人男性に特権が与えられる前提で論じられることが多い。たとえば、「正義」をめぐる二〇世紀を代表する米国哲学者ジョン・ロールズの「正義の原理」でさえ、このような偏見が埋め込まれているのである。

たしかにロールズは、「最大多数の最大幸福」を掲げる功利主義の正義感を標的にして、少数派の権利が踏みにじられない「公正」を重んじる格差原理を提唱した。しかし、インドの経済学者、哲学者アマルティア・セン（Amartya Sen, 1933-）が指摘しているように、ロールズは人々の間で見られる種々の相違を考察の対象から落としている。たとえば、ロールズは「正義にかなった制度を維持するのに必要とされる複数の方策を認可することは合理的である」とした上で、その正義や「正しく行為する性向・構えを備えることは自分たちの善（利益）とはならないと考える人びと」が存在することを想定はしているが、これらの「人びと」はごく少数の事例に限られているような口ぶりである。そしてロールズは、少数の人びとの「幸福度」が「減退する」のは、「正義にかなった制度編成は自分たちの自然本性にじゅうぶん合致していない」からと述べている。[*2] そもそも、ロールズが前提とする基本財という指標は、ごく少数の事例を除いて人々が「基本的に類似している」と仮定した上で機能する。そうでなければ、不平等の度合いを判定することができないだろう。

センはロールズが見落としている人々の「種々の相違」について次のように指摘する。「実際のところ、人々はそれぞれの健康状態、年齢、風土の状態、地域差、労働条件、気質、さらには（衣食の必要量に影響を及ぼすという点で）体格、の違いに伴って各人各様に変化するニーズをもっているのではなかろうか」。[*3] センが「健康状態」による差異に言及するのは、身体障害者のニーズも考慮されるべきと主張するからだ。

ロールズが言語化しないもう一つの重要な差異は、私的領域におけるジェンダー格差である。スーザン・オーキン（Susan Moller Okin, 1946-2004）は、「公正としての正義――誰のための？」というエッセイで、ロールズの「正義の原理」論は家族の伝統的な家父長的性格に従っていると批判している。ケア提供者であることの多い女性が社会的財の分配の公正さを取り決める合議の当事者から暗黙裡に外されているというのだ。オーキンによれば、ロールズにとって家族内部は正義の原理に適うことのない私的領域であり、合議を交わす当事者とは「家長」である。[*4] そうなると、当然その家長が家族の構成員の痛みや感じ方を配慮《ケア》すべきだろう。[*5] ロールズが考える合議では、個人的条件に目隠しをされた状態での合理的交渉が想定されている。「正義の倫理」に対抗して「ケアの倫理」を提唱したキャロル・ギリガンが、前者を前提とする「距離」に疑問を呈していることをいま一度思い出したい。「正義の原理」において何が平等かという基準の判定を行うのは「社会関係から距離をおいた人物」がふさわしいと考えられているのに対して、家庭内部の正義も包括的に考えるべきとするケアの倫理論者にとっては、距離ではなく「人間関係が自他を定義する」ことこそが前提である。すなわち、当事者はその関係性のなかから発生するさまざまな状況に巻き込まれながら判断を下すことになる。

ケアの倫理論とはまったく別の観点からではあるが、同様の問題を明晰に捉えている論考が『群像』二〇二一年一月号に掲載された。「コミュニケーション的暴力としての、意味の占有」において三木那由他が着目するのは、温又柔『魯肉飯《ロバプン》のさえずり』（二〇二〇年）の主人公の夫が夫婦間の対話において示すコミュニケーションの暴力性である。「わたし、聖司さんにばっかり甘えてたくないの。もちろん聖司さん以上に稼ぐのは不可能だけど、わたしにもできることがきっとあると信じたい」と提案する主人公の桃嘉に対して、夫の聖司は、「お金のことは気にするなよ」「奥さんと子どものために稼ぐのは、男にとってあたりまえのことなんだからさ。それに俺は、桃嘉に甘えられるのが嬉しいんだよ」と答えている。しかし、それに対して「桃嘉は軽い絶望をおぼえる。」彼女が言いたかったことが「まるで聖司に伝わっていない[*6]」。三木によれば、桃嘉の言いたいことがなぜ夫に伝わらないのかではなく、「誰がその場の支配者となり、誰が会話の成り行きを決めるか」が根源的な問題であるという[*7]。桃嘉の自立を求める声を夫にやんわりと制された一件が記憶から遠のきかけた矢先のことであった。夫に「きょうは一緒に風呂、入ろうか」と誘われる。「泡にまみれた聖司の手が乳房に触れるのを桃嘉は感じる。乱れはじめる聖司の息を首筋に感じながら、このひとは、ただ、からだを洗ってくれているのではないという事実を突きつけられ、桃嘉は自分が小さな子どもではないことを自覚させられる。それは泣きたくなるような絶望に満ちていた。湯気と水滴にまみれながら、聖司に気づかれないように桃嘉はそっと泣く」。浴室では「最後までしないだろう」と思っていた桃嘉は、「からだをこわらばせ《ママ》ながら身をよじ」り、何度も「いや」という拒否の意思表示をする。しかし夫は彼女の言葉に反して「そとにだすから、と半ば命令するように言い聞かせる」[*8]。後になって、桃嘉がこの半ば強制的な性行為を「守ることと、力でねじ伏せることは全然ちがう」という言葉で振り返っている（『魯肉飯のさえずり』、二三八頁）。

ギリガンが『もうひとつの声』で展開するケアの倫理論には「思いやり」（care）の他に「責任」（responsibility）という鍵概念がある。ケアの言語は「責任の言語といってもよいもので、それは道徳問題を、思いやりの実践や人を傷つけることを避ける義務の一つとして規定してい」る。[*9] つまり、暴力を回避することで相手を、あるいは自分を傷つけない選択をすることがケアの倫理の根幹にある。ケアの倫理では、夫婦や親子、あるいは友人関係といった人間同士の関係性が核をなすのも、その関係性を維持していくなかで、「没入」や「共感」が期待されるからである。ロールズの正義論には「合理性」や「自律」という鍵概念があるのに対し、ギリガンの議論の中心には「共感」や「思いやり」や「関係性」がある。確かに、ロールズが想定する家長は、自分たちの依存者のケアに責任を持つ者であるのかもしれない。しかしこのような、依存者を明確な構成員とみなしていないロールズの議論では、依存者の利害が考慮されるかどうかまで突き詰めて考えられていないのではないだろうか。

『魯肉飯のさえずり』を読んで強く印象に残ったのは、桃嘉がケアの人であるということだ。夫聖司の「自分」へのケアを愁訴し、しかるに彼の言動にそれが欠如していることに傷ついている。しかし、そういう夫の主観が形作る世界に靡《なび》いてしまうのではなく、桃嘉は彼女なりの打開策を考えることができている。

ロールズの理論では自己決定能力を有する人間の条件として〝強さ〟が前提にあり、桃嘉のような弱い立場、つまり女性や子どもといった依存者、あるいは「自己決定能力に狂いが生じている人―例えば認知症を患っている人」が自立して考える当事者になることは最初から想定されていない。[*10] また、ロールズは身体障害者をどのように扱うべきかという難しい事例について、「その運命が憐憫と不安をよび起こすわれわれとは隔った人びとのことを考えざるをえなくすることによって、われわれの道徳的知覚力（our moral perception）を混乱させることにもなりうる」と書いている。[*11] ロールズにとって、「われわれ」とはあくまで健常者であると明言されているこの言葉を受けて、アマルティア・センは、ロールズの格差原理が身体障害者のニーズや心身の欠陥という事例を埒外におくことを批判している。「難しい事例は現実に存在しているのだから、身体上の廃疾、特別な治療のニーズや心身の欠陥といった事柄が、道徳的に重要な意義を有していないなどと見なしたり、間違いを恐れる余りにそれらを考慮の外におくことは、必ず逆の意味で過ちを生じさせるに違いなかろう」。[*12] センの指摘する通り、脆弱性を知る立場からの思考や感情を考慮から排除して、世界を変えていくことはできないと筆者も考える。マーサ・ヌスバウムも、この問題点に注目している。重い障害を持ったひとたちなど「不均衡な状況にある人々の要求は、社会の基本的な制度が設計されたその後になって考察されるべき補足事項とされたままなのである」[*13]。

「正義の原理」を追究するロールズは、与えられた現実的な状況のなかで人がいかに最善の選択ができるかより、「正しさの原理とは何か」という問いに目を向ける。しかしケアの人は、与えられた状況下で最善の選択をするため「いかなる気質を身に付ければ」よいのかについても考える[*14]。「誰か他のひとの、異質な力の手段となる」ことに靡かず[*15]、主体性を持って思考し、理性と情動の両方を意識しながら判断を下すようになるには、「優れた資質や感受性を必要とする」ため、原理だけ考えれば十分というわけではない[*16]。オーキンにとってロールズの正義論の最大の問題点は、「原理」を重視するあまり、他者の痛みを感受する力を看過していることだ。正義の倫理とケアの倫理の比較を行ったウィル・キムリッカ（Will Kymlicka, 1962-）も、「性的平等をめぐる闘争は、公的な差別の問題を越えて、私的領域における家事労働や女性蔑視のあり方へと向かわなければならない」と主張している（ウィル・キムリッカ『現代政治理論』、三八九頁）。勿論家庭生活の場は正義の感覚を養う空間であると考える理論家も多く、ロールズもじつはその例外ではない。彼は正義の感覚が家庭という道徳的環境からいかにして生じるかを丁寧に論じている。しかしキムリッカも指摘している通り、ロールズにとって正義をめぐる取り決めをする当事者から女性や子どもが外されているのであれば、そのような「家庭制度が正義に適っていることを何ら証明して」いない。正義の理念とは矛盾するような家庭環境で「どうすれば子供は専制よりも平等を、搾取よりも互恵を学習するのであろうか」という問いはつきまとう(同、四一四頁)。

家庭内の力関係がコミュニケーションの不均衡を生じさせるとき、片方が外国人であればその葛藤はなおさらだろう。『魯肉飯のさえずり』の主人公は台湾出身の母と日本人の父を持つ。彼女が結婚した相手の聖司は日本人であり、妻の桃嘉がつくる台湾の食事や文化を軽んじる傾向がある。夫に食べてもらうために彼女がつくった魯肉飯を彼は「日本人の口には合わない」と言って拒絶する。[*17] それとは対照的に、桃嘉の父は日本人だが、彼が母と結婚する前に実家を訪ねた際に魯肉飯を三杯もおかわりした。「このひとなら、台湾人を女房にしても大丈夫だって！」と桃嘉の伯母は回想しながら誇らしげに語っている(『魯肉飯のさえずり』、二四二頁)。家父長的な「正義の原理」によって生じる問題は、おそらく多文化社会におけるさまざまな現実的な葛藤とも重なり合うだろう。

二〇〇三年にマン・ブッカー小説賞の候補になったモニカ・アリ『ブリック・レーン』(*Brick Lane*, 2003) の主人公、ロンドンに住むバングラデシュ人のナズニーンは移民としてのみならず、女性としても桃嘉と同じように当事者性を奪われている。それだけではない。言語や文化の壁によって家庭の外との交流が断たれてしまうのだ。ナズニーンは結婚して渡英してから毎日生きづらさを感じている。しかし、英語のレッスンを受講したいというナズニーンの願いを夫のチャヌは受け入れてくれない。「お前は母親になるんだよ。（中略）それだけでも十分忙しくなるだろう。それに、赤ん坊を連れて学校には通えないじゃないか。赤ん坊には食事を与えないといけないし、お尻も拭いてあげないとね。そんな単純な話じゃないんだよ。学校に通うとかそういうことじゃない」[18]。西洋文化にも馴染めるように努力したいという彼女の希望はないがしろにされ、夫は伝統的なバングラデシュの文化――つまり女性は家庭で子育てをしていればよいという価値観――をナズニーンに一方的に押し付けるのである。職場の上司からは移民として差別を受けるチャヌが家庭内では家長として支配権を握り、ナズニーンが夫の捌け口となるしかない耐え難い状況がある。

　近代西洋社会において「正義」は白人男性中心的な価値観によって規定されてきたが、それによってさまざまな歪みが生じていることは否めない。センによれば、ロールズの議論は財の配分という物質的な側面に偏っており、かつて西欧が植民地化した地域で貧困に苦しむ人のニーズに対応していない。センは「純粋な経済人は事実、社会的には愚者に近い」と述べた上で、「これまで経済理論は、そのような単一の万能の選好順序の後光を背負った合理的な愚か者（rational fool）に占領され続けてきたのである」と警鐘を鳴らしつつ、〝共感〟のような人間の行動に関係する諸概念が働く余地を作り出すことを提案している。[19]

このように政治思想の分野では、オーキン、キムリッカ、ネル・ノディングズ、ジョアン・C・トロント、センらによって《原理》を前提とした正義論が様々な角度から問い直されている。また二一世紀に入ってから、感情や情動に対する関心の高まりは社会科学、人文学全般で見られ、ケアリングや共感への関心も確実に増してきている。情動から人間を捉え返すことで新たな視野を拓こうとする研究動向を「情動的転換」(affective turn)[*20]と呼ぶが、人文学や社会科学では情動が人間の生理反応や心理だけでは説明できない〝関係性〟を基盤とした社会的現象であることに着目した研究が多い[*21]。すなわち、個体内部で完結することなく、他者に影響を与え、与えられるものとしての情動を捉える試みである。ヴァージニア・ウルフの作品が最近注目を集めるようになったのも、共感に基づく多孔的な自己が描かれているということもあろう。個人の感じる喜怒哀楽や快/不快といった感情や痛みの感覚も、主観的ではなく、間主観的出来事として捉えられ、個の身体を越えて拡張していく意識や感情の運動が焦点化されてきている。政治学や社会学では、こうした視角が排外主義の研究などに応用され、優れた成果が生み出されている。とりわけ注目に値するのが、岡野八代氏の『戦争に抗する――ケアの倫理と平和の構想』である。旧来の正義論のモデルだと、他者を「自己同一性を脅かす異物とみなし、(中略)自由よりもむしろ安全保障」に向かう政治を構想せざるをえない。しかし、岡野氏が指摘するように、「より非暴力的な関係性を――ときに国境を挟んだ――他者と築こうとするのであれば、わたしたちすべての人間存在が、間主観的存在であり、かつ、非対照的な形で、他者（中略）との依存関係にある」ような社会に向かわなければならないだろう。[*22] このように他者性が排除される問題が注目される思潮の流れに沿ってか、近代史に名を連ねる正義論者の人種差別的な偏見が問題視されるようになってきた。

それが社会現象として表れたのがジョージ・フロイド氏の受けた人種差別と傷害致死への抗議をきっかけに起きた「ブラック・ライヴズ・マター（ＢＬＭ）」（黒人の命は大切だ）の運動であろう。二〇二〇年六月、ブリストルでデモに参加していた人々が、一七、一八世紀に奴隷貿易で富を築いたエドワード・コルストン（Edward Colston, 1636-1721）の銅像を川に投げ込んだ。ブリストルの裕福な商人の家に生まれたコルストンは町の教会や、救貧院、病院に寄付し、宗教系の学校も設立した功績が認められ銅像が建てられていた。しかし実情はといえば、これらの財源のほとんどが奴隷貿易によるもので、学校についても、男子、しかもイングランド国教会の生徒しか支援しないという狭窄な視野の持ち主だった。世界中のニュースで、コルストンの銅像がエイヴォン川に投げ込まれる映像が流されたので、それを目にした人も多いだろう。しかし、コルストンと同じくエドマンド・バークの銅像が奴隷貿易の拠点であったブリストルに設置されたことはあまり知られていない。バークもまた「正義はそれ自体が文明社会の偉大な恒久的政策に他ならない」[*23]という言葉を掲げながら、白人男性中心の視座から自由や権利について語っていた。

この問題はケアの倫理の射程にも入る。たとえば、ネル・ノディングズは人種差別をめぐる例を取り上げている。ある白人女性は、大学の同級生で黒人の「ジム」の主張と現実の状況改善への要求を正当だと感じている。ただし彼女にとっては、バリケードのなかに入って闘う行為への躊躇があったり、黒人差別を当然と考える親戚がいたりすることも、葛藤を抱える根拠になっている。最終的にはジムと一緒にデモを起こさないという結論に至るが、もし家族がアウシュビッツ収容所のような施設を設立することを決定したとすれば、協力しないだろうと述べている。[*24] ノディングズは、どのような原則を、誰に対し、どのように持つかという普遍的な《原理》は採用しないが、自分の身近な者が悪しきことをなそうとするなら、介入して止める責任はあると述べている。正義の倫理論者が個人の権利を尊重し、他者への介入を避けようとするのに対し、ケアの倫理論者は人間関係の維持を重視するため、ときに介入する必要があると考えている。

本章では、多様化する社会において、作家や詩人らが創作を通じてどのように「近代」の克服における「男らしさ」や、正義の原理とよばれるものや固定化された「ヒーロー像」の克服という難題に向き合ったのかに注目する。具体的には、S・T・コウルリッジの「老水夫の歌」（The Rime of Ancient Mariner, 1798）、「小夜啼鳥《ナイチンゲール》」、ジョセフ・コンラッド（Joseph Conrad, 1857-1924）の『闇の奥』（*Heart of Darkness*, 1899）、T・S・エリオット（Thomas Stearns Eliot, 1888-1965）のスウィーニー連作と『荒地』（*The Waste Land*,

1922)、そして平野啓一郎の『日蝕』『葬送』『本心』を中心に考察したい。コウルリッジは、ヴァージニア・ウルフが『自分ひとりの部屋』で「両性具有的」な想像力をもつ詩人のひとりとして紹介している。コウルリッジの論考や詩には彼自身の心身の苦しみを表したものの他に、初期には奴隷制廃止運動とその反人種差別精神を反映したものが多い。T・S・エリオットは、近代文学を考える上で極めて重要な詩人、批評家であり、作家ウルフの友人でもあったが、近代的個人では見落とされがちな脆弱性という《ケアの倫理》とも隣接する問題について心を砕いた詩人である。また、平野啓一郎については、ヨーロッパ近代文学を意識して創作する彼の小説を読むとき、正義が近代の「個」に突き付けてきた数々の問いが浮かび上がる。

2. ロマン主義時代におけるケアの倫理

近代ヨーロッパの社会的背景のみならず、一八世紀以降の思想史や帝国主義の歴史を少し振り返るだけでケアの倫理の系譜はより立体的に見えてくるだろう。なぜなら、ケアの倫理の視点から正義の倫理の正統性に疑問を投じ始めたのは、じつは感受性を重視した一八世紀の哲学者デイヴィッド・ヒューム（David Hume, 1711-1776）やアダム・スミス（Adam Smith, 1723-1790）だからである。さらには奴隷貿易廃止運動に関わった活動家や著述家たちもヒュームらの感受性言語、あるいは〝ケア〟の言説に信頼をおいていた。近代西洋社会の価値観はある意味で、理性と感受性という二つの軸の鬩《せめ》ぎあいによって形成されてきたといえる。とりわけヒュームは、五感を通じて獲得される「感覚印象」(sense perception) や情操 (feelings) が倫理に果たす役割を重要視した。[*25] すなわち、他者に想いを馳せる能力、他者の苦しみに共感 (sympathy) することのできる能力は、すでにヒュームやスミスによって再評価されていた。奴隷貿易反対運動の先陣を切ったのはグレンヴィル・シャープで、奴隷貿易廃止法案を可決させたのはウィリアム・ウィルバーフォースである。そして長年にわたって反対運動を牽引していたのはトマス・クラークソンである。ロマン派詩人のコウルリッジもまた、この運動を支持する文筆活動を行っていた。奴隷たちに共感するのは男性が多いように思われるかもしれないが、じつは公的領域に参画した女性たちの活躍ぶりは、彼女らが出版した詩作品や政治パンフレットからもうかがえる。

エドマンド・バークはアメリカ独立を支持するような正義の理念を掲げながらも、不平等が再生産される〈身分制社会〉というシステムや奴隷制を容認していた、として批判したのは、女性の論客メアリ・ウルストンクラフトであった。バークは、ブリテン政府が奴隷解放宣言をして北米ヴァージニア以南の奴隷労働を多用している植民地の人々の貴族的精神を挫《くじ》くべきという案に対して、それは同意できないと明言している。[*26] ウルストンクラフトは、バークの保守主義への反論として出した『人間の権利の擁護』で、次のように述べている。

しかし、バーク氏はどのような原理に立ってアメリカの独立を擁護できたのでしょうか。私には考えられません。というのは、彼のまことしやかな議論の趣旨全体が、奴隷制を永続的基礎の上に据えてしまうからです。古代に対する彼の追従的な畏敬の念や自己利益への賢明な注意が、奴隷貿易は決して廃止されてはならないという彼の主張をより説得力あるものにすると認めるならば――私達の無知な父祖達は、人間の生得の尊厳を理解せずに、理性や宗教のあらゆる助言を踏みにじる交易を承認してしまったのですから――、（中略）財産の安全保障！ ご覧なさい。煎じ詰めれば、これがイングランドの自由の定義なのです。[*27]

この引用文ではウルストンクラフトはバークの人種差別を過剰に批判してはいるが、実際に彼が奴隷貿易を擁護していたわけではなかった。とはいえ、バークの「自由」の概念が、そのじつ弱者の犠牲の上に成り立っていたという彼女の指摘は重要であろう。

ロマン主義時代には、正義論者らに対立する形で奴隷制を批判するケアの倫理の実践が行われていた。国教会福音派の慈善家ハナ・モア（Hannah More, 1745-1833）の『奴隷制、詩』は比較的有名だが、彼女が才能を見出して作品刊行の援助をした、貧困層出身のアン・イアーズリー（Ann Yearsley, 1753-1806）の『奴隷貿易の非人道性に関する詩』（*A Poem on the Inhumanity of the Slave Trade*, 1788）は未だにほとんど知られていない。イアーズリーのこの作品は、女性や社会的弱者への共感を喚起する十八世紀の典型的な感受性文学としても価値がある。詩のなかで、悪逆きわまりない奴隷貿易の行為に関わる白人らの暴虐を厳しく非難し、道徳感情が彼らに決定的に欠落していることを指摘し、その人間性の回復を訴えた。*28 イアーズリーもコルストン同様ブリストルが故郷であったが、この詩は「ルコ」（Luco）という奴隷が（想像上の）植民地で日々痛みに耐える生活を送り、その後、彼の惨たらしい死がもたらされるところまでを綴っている。最後にブリストル市民から失われてしまった社会的弱者への共感力を彼らが取り戻す可能性を想像して物語を閉じている。イアーズリーは、奴隷のルコに対して加えられる数々の残虐な行為を克明に描写し、その所業に罪の意識を感じなくなった人間の上に天使が降りて、人間を人間たらしめる感受性を付与するように願うのだ。

やさしい天使よ！　その絹のような羽根を広げておくれ
無気力な人間の上に降り、彼の魂を吸い込んで
代わりにその神聖な力で生気のエネルギーを与え

そうしてその冷酷さを消し去っておくれ（ll.387-390）[*29]

「そうすれば、ルコはその共感（sympathy）に心動かされるだろう」（ll.399-400）と彼女は一縷の望みをもつ。イアーズリーのこの詩は、ヒュームの言うところの〝共感〟を読者から引き出すことを期待して書かれたと言っても過言ではない。[*30]

現代のケアの倫理の中心的な概念は〝共感〟や〝思いやり〟ではあるが、先述したとおり、それだけあればよいという倫理ではない。このような感情言語に対しては慎重さも必要と筆者は考えている。受苦の光景に読者の感情が突き動かされるだけなら、あるいは単に他者を思いやるだけで解決するかのように思ってしまうなら、その窮状を生み出しているメカニズムをかえって後景に退かせることもあるだろう。[*31] たとえば、イアーズリーの例でいえば、ルコに対して加えられる残虐な行為を生々しく描写して読者の同情を引き出したとしても、その場かぎりの共感で終わってしまうのであれば、《ケアの倫理》の価値はかえって損なわれるのではという反論も予想できる。

ハンナ・アーレント（Hannah Arendt, 1906-1975）が「同情」を「政治的には、結果をもたらさない、意味のないもの」と指摘したことも広く知られているが、おそらくアーレントは、一時の感情表現だけでは意味がないと言いたかったのだろう。しかし、彼女は感情自体、理性と補完し合う重要な要素であると考えていた[*32]――「合理的な対応をするにしても、まず心を動かされなければならない」からだ。[*33] 感情や共感をアーレントは否定的に見ていたという研究が多いなか、デボラ・ネルソンは、彼女が少なくともいくつかの感情に関しては建設的な役割があると考えていたと主張している。彼女は感情経験は現実に向き合うための助けになると信じていた。[*34] たとえば、アーレントは恐怖の感情は生命維持のために必要であると認識した上で、勇気ある人間を「あえて恐怖を見せないと決意した人」と定義した。ダン・デガーマンはこのアーレントの指摘を過小評価してはならないと言う。なぜなら、「勇気」(courage) とは人を私的領域の安全圏から苦しみに満ちた公的領域へと駆り立てる価値ある性質であるからだ。[*35]

このような議論を踏まえて、ケアの倫理の文脈における〝共感〟が何を意味するのかを考えてみたい。ウルストンクラフトが女性著述家としての地位を確立するまでに経験した苦難を考えると、少なくとも彼女が奴隷に対して示した共感は単なるパフォーマンスではなかっただろう。彼女は家計を破綻させた父親の代わりに家族を養うため、思い切って働きに出たが、当時の中流階級の女性にとって結婚せず生計を立てることは容易なことではなかった。アイルランドで家庭教師をした後ロンドンに移住し、急進派思想家らの書物刊行を請け負っていたジョセフ・ジョンソンのもとで書評原稿などを量産し、なんとか生計を立てた。また、妹が夫の暴力に苦しんでいた窮地を救ったり、事実婚の相手ギルバート・イムレイに子どもと共に捨てられたり、波乱に満ちた人生であった。次にあげるのは、当時の女性が強いられた運命を端的に表した彼女の言葉である。「男性が甘い汁を吸う（sweeten the cup of man）ためだけに、人類のもう半分〔女性〕は、アフリカの奴隷たちのように、その偏見が強いる非人間的な扱いに耐えなければならないのでしょうか[*36]」。幾分政治的なレトリックを意識しているとはいえ、ウルストンクラフトは奴隷たちが背負わされる運命と女性たちの境遇を重ねて見ていた。

　ウルストンクラフトの〝共感〟は、ケリー・ウッズのヴァルネラビリティ論を彷彿とさせる。遠くにいる人の苦しみが自分たちの生活とは直接関係がなくとも、感情移入することで「人間誰もが同じようなものだ」という考えが強められ、他人の、あるいは他国の苦しみも自分のことのように感じられるというマーサ・ヌスバウムの議論がある一方で（『感情と法』、六三頁）、ケリー・ウッズは、西洋近代の「われわれ」（we）と「彼ら」（they）の関係においては、「彼ら」は依存的で弱い存在だとみなされると同時に「われわれ」は自立的で独立した存在であるという前提もあると指摘している。そして、遠くの他者の表象だけでなく、「われわれ」の存在を見つめなおし、自分たちのもつ「脆弱性」（vulnerability）を認識する必要があるという[*37]。ヴァージニア・ウルフが「病気になるということ」というエッセイで直立《ヴァーティカル》人と横臥《ホリゾンタル》者の二項対立を意識していたことはすでに1章で書いた。脆弱性を認識するというのは、上から目線で〝助けてやる〟のではなく、自分たちのなかにある弱さを引き受けて〝共感する〟という横臥者の態度である。あるいは、2章で論じた多和田葉子がイメージする「水平」の関係と呼んでもいいだろう。イアーズリーがそもそもなぜ奴隷のヒロイックな題材——黒人奴隷による反乱など——ではなく、運命に翻弄されるルコを描写したのかを考えると、彼女もまた自身の女性としての脆弱性《ヴァルネラビリティ》を重ね合わせて物語を綴っているからだと分かる。オーキンは「現代の正義論者は、ジェンダー構造をもつ家族のなかで、女性が子どもを養育し、社会化し、親しい関係からなる安らぎの場《シェルター》を今後も用意していくと想定しているにちがいない」と言う。すなわち、正義論者が論じる道徳的主体や感受性は、主に女性や脆弱な存在によって育まれている。「これらの〔道徳感情を育む〕活動は正義論者の理解の届かぬところで営まれている」[*38]というオーキンの訴えは、時代を超えて、ウルストンクラフトやイアーズリーの言葉と響き合う。家父長的な家族には上意下達の権力構造と男女の役割分担があり、家長（たいてい男性であるが）は子どもの情操教育を担わなくても許される特権を有しているという議論なのだろう。

とはいえ、ウルストンクラフトも、ケアの倫理論者も、「情操」や「感情」（sensibility／emotion）という概念にはきわめて慎重である。ウルストンクラフトは、「機械的で本能的なセンセーション」と呼ぶ感情を人間が備えるべき感情と混同しないよう用心すべきだと強調している。[*39]この「センセーション」は『ケアリング』の著者ネル・ノディングズが「情感主義」と考えたものに近いだろう。ノディングズは、情感主義という呼び方には、「認知的な活動の役割をできる限り減殺しなければならないのだという考え方が生まれて」しまう危険性があると言う。[*40] ノディングズはそういう様態は「消極的」であり、ケアリングではないと明言する。同様にウルストンクラフトも、この「センセーション」は「血の巡りを速め」「心臓を、同情的な情動で鼓動させる」だけの感情であると説明し、「理性が深化させ、**人間性**《ヒューマニティ》の感情と正しく名づけている情動」とは区別すべきだと強調する。またノディングズは、ケアする人にとって「意識」も重要であるとも述べている。というのも、「倫理」である以上、「思考や推論といった要素」が介在しないことなどなく（ネル・ノディングズ『ケアリング』、二六五頁）、「他の主観性がもっている世界」に身を委ねてしまうことは危険だからだ。意識は、「こうした脅威に抵抗する」ことができる（同、二一九頁）。

意識は、関係性を求める。意識は、他のひとの主観性によっては、削減しも、退化しもしない。（中略）意識は、自由で、しかも、志向的である。そうはいっても、意識の自由は、助け合いの中で成立し、受け容れる際に、つまり、意識そのものを、ふとしたことで崩壊してしまう**助け合い関係の中に位置づける際**に、行使されるであろう。（同、二一九—二二〇頁、太字は筆者）

ノディングズとウルストンクラフトの議論が二〇〇〇年もの時間を越えて共鳴しあうのは、たとえ「感情」に否定的な意味が付与されてしまっても、ケアする人は「思考力」や「意識」によって倫理的に方向づけられた「共感」という感情を擁護し続けることを前提とするからだ。たとえ、それが制度や組織の原理と食い違っていても。ノディングズが言うには、たとえば、キリスト教のような「組織的宗教」(同、二〇三頁)といった制度には、「倫理的理想を弱める傾向」がある。組織は「ある境界線を確定し、倫理的理想がその線に沿って漸次消失していく。そして、それらは、あなたがこの線を越えていかないように命じる」。帝国主義という制度も然りである。しかしノディングズによれば、ケアの人はそれでも「依然として責任があ」り、「ある制度やその高尚な原理の腕の中に、避難場所を求めたりはできない」主体であると定義する(同、一八三―一八四頁)。

イギリスにおけるロマン主義文学の嚆矢『抒情民謡集』(*Lyrical Ballads*, 1798)をウィリアム・ワーズワスとの共著で出版したコウルリッジも、当時の帝国主義という《制度》に抗い、彼自身の理想的倫理を追究した。イングランド全体の保守化に伴い急進的な活動を自粛するようになるが、彼の初期作品には、奴隷制反対運動に共感した論考や詩が多数ある。「西インド諸島の奴隷の不幸な運命」という詩では、奴隷たちと共に「深く悲しむ」コウルリッジの心情が情感溢れる言葉で訴えられている。

私が我が心の内であの奴隷にされた民族のことを思う度に
宿命の子なる彼らが忌まわしい苦役の渦の中で
如何に旋回するのかを
我が心も度々嘆き悲しんだ。(ll.25-28)[*41]

その苦悩を彼は「悪夢」(The Pains of Sleep, 1816)という詩のなかで表している(「私は病弱だが、不幸せでもないという意識が/我が魂全体に感銘を与えた……/だが、昨夜、私を苦しめた様々な形象と思いの/悪魔のような群れから急に立ち上がり/苦しみ、悶えて私は大声で祈った――」(ll.10-17)[*42])。じつはコウルリッジは「根治不可能な鬱病、陰鬱さ、倦怠、憂鬱、それから痛みと毎夜の悪夢」に苦しめられていた。[*43] その悪夢の恐ろしさのために阿片チンキを常習的に飲用するようになった。現代でいうところのパニック障害に似た症状――「脈が速くなり、心臓の鼓動が激しくなり、自分の体全体が解体するような、そういう耐え難い不安感」に悩まされていたと友人に宛てた手紙に綴られている。[*44] コウルリッジの天才像が先行するのは、ジョン・リヴィングストン・ロウズによる批評――「独創的な想像力」が見事に結晶化した『クーブラ・カーン』のような、傑作は阿片による幻覚症状に起因するという批評――がそのイメージを拡散したからで、[*45] 彼はじつは苦悩の人なのである。[*46]

3. コウルリッジの鳥メタファー

ヴァージニア・ウルフが『オーランドー』で歓喜の象徴として言及したナイチンゲールは、おそらくコウルリッジの「小夜啼鳥《ナイチンゲール》」からインスピレーションを得ている。この歓喜の鳥《ナイチンゲール》と対照をなすのが、彼の「老水夫の歌」に登場する不吉な兆しを示す《アホウ鳥》である。老水夫が航海中にそのアホウ鳥を撃ち落とすと、しばらくして気象が変化し、風が吹かなくなる。老水夫の罪の意識とあがないが象徴的に表されるのが「十字架の代わりに、アホウ鳥が／わしの首に吊るされた」(ll.141-142) という場面である。*47 その後、船員全員の死がもたらされても、その死と老水夫による鳥の殺害とのあいだに因果関係があるのかどうか、最後まで宙づりのままである。ハリー・ホワイトは、コウルリッジが老水夫の苦しみや罪の意識を詩に表したのは、彼自身が抱えていた不安感、あるいは罪の意識に起因しているのではないかと論じている。*48

彼がこの詩を書き始めた一七九七年にはすでに奴隷廃止運動は盛り上がりを見せ、植民地では黒人奴隷たちの反乱が勃発していた。イングランド人たちがようやくアフリカの奴隷を道徳感情の対象者としてみるようになったのだが、デビー・リーによれば、この「モラルの逆転」は突如として彼らに罪の意識をもたらした。*49 ヨーロッパの白人たちから見て

〈他者〉であった奴隷に対する「モラルの逆転」と当時の科学論争とのあいだには深い関係がある。コルストンのように奴隷貿易に対してさして罪の意識を感じなかった、あるいは罪の意識はあったとしてもこの制度を擁護し続けていた人たちは序列化された人種論を信じていただろう。たとえば、ドイツの比較解剖学者ヨハン・ブルーメンバッハ（Johann Friedrich Blumenbach, 1752-1840）は、キリスト教の神を持つ西洋人こそが人類の起源に近い存在であり、白人を頂点として皮膚の色と頭蓋骨（脳）の大きさで人種が分類されるべきという優生学的な科学論を提唱した。[*50]

ブルーメンバッハの人種論とは対照的な医学言説というのが、一八世紀中葉にスコットランドの大学機関を中心に発展した神経医学で、人種にかかわらず、いかなる人間も、そして動物も道徳感情を持つ尊い存在であると考える奴隷制廃止運動や動物愛護運動へと繋がっていった。それがケアの倫理やヒュームの提唱する道徳感情を育んだともいえる。デカルトによれば人間と動物の違いは思考力にあり、言い換えれば、人間の本質的特徴である理性を持つかどうかによる。しかし、精神と肉体の二元論から、人間も神経器官を通して外界から刺激を感受する生き物であるという認識に変わるにしたがって、人間と動物の境界があいまいになり、動物も痛みを感じるという考え方が次第に受け入れられるようになった。司祭だったリチャード・ディーンは『動物の未来に関する論考』（*An Essay on the Future Life of Brutes*, 1767）において、次のように述べている。

人間は、動物に感受性があることを認識するだろう。自分自身が感じるのと同じように、あるいはそれよりも過敏に痛みを感じることができるということを。つまりちょっとした振動も、切り傷も、刺し傷も感じることができるのである。したがって、人間は動物を［痛みを］感じない食料、石、ものとして扱ってはならない。[*51]

一八世紀に出版された数多くの児童文学や道徳教育書では、擬人化された動物が自分たちの痛みを訴えることで、動物だけでなく、奴隷を含めた弱者の苦しみが読者に感受されることが期待された。これらの書物は、権力、知力、身体能力の優劣にかかわらず、生き物は等しく愛情と庇護の対象となることを説いている。

コウルリッジの友人で科学者のジョン・セルウォールは「生気《ヴァイタリティ》」――あるいは動物精気（animal spirits）ともいう――が遍く人間や動物の肉体に漲っているという理論＝生気論を提唱した。[*52]「生気」はあきらかにロマン主義文学が掲げた汎神論的な思想に基づいた考え方である。セルウォールの生気論は、白人を頂点とした序列化された人種論を否定し、そして生物を並列的に、水平に捉え直し、人類が共有する性質を強調した。人間の頭蓋骨などの標本によって固定化されたブルーメンバッハの序列的な人種論を根底から覆すような理論である。[*53]セルウォールは奴隷廃止運動にも積極的に関わり、白人と非白人のあいだに優劣はないと訴える詩も多く書いている。

科学に深い関心を寄せていたコウルリッジは、一七九八年九月からのドイツ滞在中にブルーメンバッハに直接会い、人種論について意見を交わしている。大英博物館所蔵のコウルリッジの草稿「人種の定義」には、[*54]ブルーメンバッハの人類単一起源説に基づいた人種論が展開されているものの、「人類」(species) という大きな括りと、「多様な種類」(variety) のちょうど真ん中にある概念として「人種」(races) があると説明している。フランス革命と恐怖政治をきっかけにイギリス全体が急速に保守化すると、コウルリッジも奴隷貿易反対運動からは手を引いたが、彼が奴隷たちに向ける人道的なまなざしは変わることはなかった。この三種類の分類方法からはコウルリッジが人類を「一つの」「連続性のある」生命体として幾分柔軟に捉えようとしていたことが分かる。[*55]また、コウルリッジがセルウォールと立場を同じくしていたことがよく表れているのは、「奴隷貿易についての講義」(Lecture on the Slave-Trade, 1795) であろう。ここでは、西インド諸島のプランテーションで働くアフリカ人奴隷は「無垢で」「知性が鋭敏」な人々として肯定的に描かれ、ヨーロッパ人が運営する砂糖きびのプランテーションには批判的である。[*56]「老水夫の歌」のなかに描かれる地獄絵はコウルリッジ自身が夜な夜な見た悪夢を映し出しているだけでなく、奴隷制の恐ろしい罪の意識を描き出している。[*57]突如として現れた幽霊船は人の肋骨のように見え、その船に乗船している幽霊女の「唇は赤く、表情はゆるみ

／髪房は黄色く、黄金のようだ――／皮膚は白く朽ちて病のようだ／彼女は悪夢、死中の生で／人の血をもどろどろにし、凍らすのだ」（ll.190-194）[*58]。「老水夫の歌」のアホウ鳥はある意味でコウルリッジが深く内面化したヨーロッパ人の罪の意識の象徴でもあった。老水夫の「一人、一人、ただ一人／この広い海にただ一人だけだ！」（ll.232-233）（『S・T・コールリッジ　詩歌集（全）』、二八八頁）という言葉は、非人間的な奴隷制の罪によって人と人との〝関係性〟が壊されてしまった後の断絶、そしてそれによってもたらされる孤独を表している。この詩の山場は唐突にやってくる。「呪われた海がずっと／静かに、恐ろしい程赤く燃えていた」（ll.270-271）のだが、そのとき老水夫は「海蛇の姿」を発見する――「彼らは白く輝き、群れをなして動めいた」（l.274）そのとき、老水夫は神秘体験をする。「心から愛がほとばしり出て／思わず知らず、わしは彼らを祝福したのだ！」（ll.284-285）彼は思わず知らず、歓喜の状態に導かれる（同、二八九頁）。

〈老水夫〉が感じる罪の意識も歓喜という感情も、なぜそれが心に去来するのかは説明されず、神秘的な世界に向かって開かれている。中野剛志によれば、コウルリッジは「内なる感覚」というものの存在を信じていた[*59]。これはおそらくウルフが「存在の瞬間」（moments of being）と呼んでいたものに近い。ウルフがトマス・ハーディ（Thomas Hardy, 1840-1928）の「ヴィジョンの瞬間」という概念に言及するのは、彼女自身も、しばしばハーディの詩に見られるような愛が突如として心に芽生える瞬間に人間の特質を見出していたからだろう。[*60] コウルリッジも、このような「内なる感覚」を人間性の核だと考え、常に研ぎ澄ましていた。「老水夫の歌」は語り手の老水夫が結婚式に参列しようとしているゲストを呼びとめて語り始めるのだが、語り手の内なる感覚の「不安感」や「罪悪感」の根拠の分からなさを他者と分かち合う物語なのではないだろうか。ネガティヴ・ケイパビリティという概念を世に送り出したジョン・キーツはコウルリッジに出会ったとき、この「短気に事実や理由を手に入れようとはせず、不確かさや、神秘的なこと、疑惑ある状態の中に人が留まることができるときに表れる能力」が彼には欠落しているように感じた。なぜなら、キーツによれば、コウルリッジは「半分しか分からない状態」では満足できない人間だからだ。[*61] たしかに、コウルリッジの『文学的自叙伝』の第二四章には、このことを裏付ける一節がある。彼は、「われわれの精神は、すべてが混乱したままの状態でいることが苦しいと感じるようにできている」（[We] are so framed in mind ... that all confusion is painful.）と認めている。[*62] しかし、コウルリッジはある考えが実証的に証明されずに棄却されたからといって、みだりに軽んじるべきではないとも書いている——「まだ地平線の下にある何か偉大な真理が、光の屈折で見えているのかも知れない[*63]」。人の心が理由なく動かされることは、コウルリッジにとってかけがえのない生の「内なる感覚」であり、ネガティヴ・ケイパビリティにも通じる資質なのである。

アホウ鳥が罪悪感を表すなら、ギリシア神話の暴力の悲劇を象徴するこの「ナイチンゲール」は、もともとはピロメーラー（フィロメラ）と呼ばれる乙女であった。王テレウスが妻プロクネの妹ピロメーラーを凌辱し、さらに自分の罪を話さないよう彼女の舌を切った。それを知ってプロクネがテレウスとの実子を殺してその肉を彼に食べさせ、彼を怒らせてしまい、今度は姉妹が追われる身となる。その途中で、ピロメーラーはナイチンゲールに、姉のプロクネは燕に変身し、そのナイチンゲールの鳴き声は悲哀、憂鬱、美を象徴するようになったという伝統がある。コウルリッジは「小夜啼鳥《ナイチンゲール》」ではその伝統を転覆して、この鳥に歓喜を体現させている。*64

ほら聞いてごらん、小夜啼鳥が歌い出したぞ、
「調べ妙にしていとも憂わしげな」鳥が。
憂わしげな鳥だって？　根も葉もないことを！
自然界に憂わしげなものなど何もない。(ll.12-15)*65

鳥は人間世界が陥る憂鬱や植民地主義に見られるような欲望の罠、また、それによってもたらされる空虚さとは無縁である。この詩ではナイチンゲールの突き抜けた「歓喜」(Joy) を描いている。男女の修羅場の話や悲話に耳を傾ければ「溜息」が出る詩人が、恍惚たる忘我の境地でただ歓喜のうち囀るナイチンゲールの存在に共感するのである。

「小夜啼鳥《ナイチンゲール》」の形式が会話詩であることも注目すべきであろう。イギリス・ロマン主義文学の専門家アルヴィ宮本なほ子によれば、会話詩という形式は、「一人称の語り手の精神活動が、聞き手を具体的に想定し、語りかけるように書かれてい」る。また、「抒情の声が読者にテクストへ参入するように働きかけ」るため、間主観的出来事として捉えることができる。[*66] これまで論じてきたように、コウルリッジは自分の脆弱性を引き受けて詩を創作する詩人である。それは「老水夫の歌」でもっとも顕著に見られた。この「小夜啼鳥」が語りかけている「ふつうの人」は、ノーベル文学賞を受賞したスヴェトラーナ・アレクシエーヴィチがいうところの「小さな人」である。「老水夫の歌」の名もない老水夫は、「**苦しみが大きく**」**した**「**小さな**「**大きな人**」」である。[*67] コウルリッジ自身もまた、苦しみを通して大きくなった「小さな人」であった。アルヴィが指摘しているように、もしコウルリッジのこのような人文知の挑戦が、アレクシエーヴィチのように、次の時代に人間精神の知的な、関係を繋げてゆくなら、〝関係性〟に開かれた文学作品は、ケアの倫理を鍛え上げる役割を担うのではないだろうか。

4．エリオットとコンラッドの《近代》

ウルフは健全な人間を「直立人」という言葉で表すことで、病気で弱くなった「横臥者」に対して序列化されている社会の現状をも問い直した。ウルフの『ダロウェイ夫人』(*Mrs. Dalloway*, 1925)では、「直立人」であった、つまり戦争で「勇敢」[*68]に戦い、かつては「ヒーロー」であったセプティマスが「横臥者」となる。彼は戦場で強い心理的ショックを受けた後遺症で、死者が見えたり、独りごとを言ったり、妻ルクレィツィアの目から見れば精神に異常をきたしたような状態になってしまっている――彼に勇敢だったころの面影はなく、「掛けぶとんのように、また太陽のみが滅ぼし得る雪の毛布のように横たわり、永久にそこなわれず、永久に苦しむいけにえの小羊、永遠の苦悩者だ」(『ダロウェイ夫人』、三二頁)。ただ、この「横臥者」セプティマスには、じつは「直立人」であるルクレィツィアには見えていない世界が見えている。そしてやはり、ここでも鳥が描かれている。

人間どもは、木を伐ってはいけない。ある種の神が存在している。(中略)真向いの垣根にとまった雀が、四、五回も、セプティマス、セプティマス、とさえずった。そして、引きつづき、その声を引きのばしながら、新鮮に、刺すように、ギリシア語で、犯罪は何もないことをうたいつづけた。そして、もう一羽の雀が加わり、引きのばしたような鋭い声で、ギリシア語で、死人たちが歩く川向うの生命の牧場の中に木立から、死が存在しないいきさつを歌った。(同、三一頁)

セプティマスが「ある種の神」と呼ぶ存在は、ロマン主義時代に盛んに議論された植物にも動物にも、そして人間にも遍く行き渡っている「生気」であり、汎神論的な神である。肯定的に彼の想像力を捉えるなら、彼には普通は聞こえない生命の声が届いている。*69 心身ともに病に罹っていたウルフだからこそ生まれた発想なのだろう。この「直立」という言葉のアイデアが彼女独自のものなのか、あるいは芸術家仲間と共有されていたのかは不明である。ただ、少なくともエリオットとの友人関係のなかでは共通語として理解されていたのではないかと思われる。

ウルフのこのエッセイ「病気になるということ」は、一九二六年に、エリオットが編集長をつとめた文芸雑誌『ニュー・クライテリオン』(*The New Criterion*, 1922-1939)で発表されている。エリオット自身の代表作『荒地』も、前身誌の創刊号(一九二二年)に掲載された。「直立人」という概念を彷彿とさせる詩「直立したスウィーニー」(Sweeney Erect, 1919)はエリオットの初期作品であるが、興味深いことに、スウィーニーというペルソナを中心とした連作の詩が一九二〇年代から三〇年代にかけて発表されている。「直立したスウィーニー」の後は、「エリオット氏の日曜日の朝の礼拝」(Mr. Eliot's Sunday Morning Service, 1917-18年執筆)や「ナイチンゲールに囲まれたスウィーニー」(Sweeney Among the Nightingales, 1918)などに登場する。「若くて、強健な肉体をそなえ、体毛は濃く、下層階級の出身で、粗野で好色、無頓着、時として野獣的、要するにマチズモの戯画[*70]」という荒木映子氏によるスウィーニーの要約はウルフの「直立人」のイメージと重なる部分もあるだろう。獣性を帯びるスウィーニーの対極に置かれているのが、知性の囚人、プルーフロックというペルソナである。自意識の牢獄に囚われた人間の、屈折した自虐的な自己に還元される、プルーフロックの悲哀や倦怠が本物らしく感じられるのは、彼が作者エリオットの苦悩を体現しているからだろう。[*71]

エリオットの「伝統と個人の才能」(Tradition and the Individual Talent, 1919) という批評を読めば、彼がいかにギリシア神話、聖杯伝説、中世ロマンスなどの過去の「伝統」を意識しながらこれらの詩を創作していたかがわかる。また、スウィーニーが彼の代表作『荒地』の第三部にも姿を見せることも重要な意味をもつだろう。スウィーニーは西洋近代が想像してきた理性ある主体ではなく、思考が空洞化された獣性を象徴している点において注目に値する。エリオットのスウィーニーは幾分錯乱状態にある。ハーバート・ナストによれば、「スウィーニー」(Sweeney) には、「自尊心で凝り固まること」(stiffness of pride) という意味だけでなく、「白鳥」(swan) と「豚」(swine) という相対する意味も包含されている。[*72]「スウィーニー」はアイルランドの堕落した英雄スウィーニーが由来であるが、彼は元々アイルランド王であった。王位を剥奪され、最終的に精神に異常をきたす。この語源的説明とアイルランドの神話を関連させると、近代人スウィーニーは逆説的にも「鳥」と「獣」という対立するもの両方に喩えられ、社会ダーウィニズムが想定した進化する近代人とは矛盾する「退行」のイメージをもつ。なぜなら一般的に鳥は「精神」、獣は「肉体」と読み替えられるが、「スウィーニー」という名がそのいずれも内包するのであれば、理性や倫理観を見失いつつある存在とも解釈できるからだ。動物表象において、一方でコウルリッジの「ナイチンゲール」のように崇高な歓喜を表すものもあれば、「獣」という言葉が連想させるような思考力が働かない卑俗さを表すものもある。エリオットは、とりわけ「ナイチンゲール」に囲まれたスウィーニー」のなかでは、鳥の名前——ナイチンゲールという名前——と結びつけられる「情緒」の重要性を強調している。*73

エリオットは、過去から現在に続く文学の伝統を認め、自らその大きな秩序の中に生きていることが感じられる「歴史的意識」を大切にして創作すべきであると考えていた。皮肉なことに、彼はコウルリッジらのロマン主義文学の「個性」や感受性をしばしば批判しながらも、結果的にはコウルリッジが創造した伝統にも影響を受けていたのである。*74 スウィーニー連作で重要なのは、鳥と獣という伝統的なモチーフをいかに個の創作に反映させるかである。「詩の中で大切になるものは、人間つまり個性にとってはごくわずかな役割りを果たすだけのものかも知れない」と述べるその根拠として、「鳥」のような「媒体」の重要性を述べている（T・S・エリオット『文芸批評論』、一七頁）。「詩人は過去についての意識を展開しもしくは把握したうえ、生涯を通じてこの意識を絶えずひろげてゆかねばならないことをここでくりかえし強調しておこう」とエリオットは書いた（同、一三頁）。ケアの倫理論者ノディングズが情感主義と合理主義の二元論に陥らず、そのあいだに立って「意識」を働かせよと言ったように、エリオットも同じような倫理観を詩の創作において実践している。帝国主義という制度が支配し、キリスト教的な道徳的価値が希薄になり、さらには世界が戦争と暴力の渦に巻き込まれる二〇世紀初頭において、「正しさ」「正義」とは何かを声高に、感情に任せて表明することが難しいと感じていたエリオットが実践した彼なりの倫理観であろう。近代とはまさにそのような変容や矛盾を内包する時代だと言えるのかもしれない。イギリスが第一次世界大戦の痛手を受けて未曾有の国難に直面していたこの時期、暴力的な男らしさが正義であるとはもはや言えない世界に、『荒地』が誕生した。

『荒地』では、熱情に駆られるような詩句ではなく、性暴力と美の対立シンボルとして、《ピロメーラー》と《ナイチンゲール》を静かに、象徴的に、表している。コウルリッジは「憂いの鳥」から「歓喜の鳥」に変容させたが、エリオットは、ナイチンゲールによって、野蛮化する国土の荒廃を表現した。[*75]

あのナイチンゲールの化身ピロメーラーの絵姿が懸っていた、
あの蛮人国の王様にあのむごたらしい手ごめにおうた――それでも同じ場所にあのナ

イチンゲールが
とても手ごめにできはしない歌声で満目の荒野を充たしていた（ll.99-101）[*76]

乙女が凌辱されたことで国土が呪われるというモチーフは漁夫王伝説の元になっているが、ここでも愛や人間性を失った男女に警告を発するかのように、ピロメーラー神話が繰り返されている。一九一八年に書かれた「ナイチンゲールに囲まれたスウィーニー」には既にこの〝荒廃〟というテーマが先取りされている。ジョン・オウワーによれば、この詩は西洋社会においてキリスト教がもはや現実の生活に影響を及ぼさなくなった現代人の空洞（emptiness）からの救済を模索する試みであった。[*77]「猿」（ape）という言葉を組み込んだ「エイプネック・スウィーニー」というフルネームからも分かる通り、スウィーニーのペルソナは獣性を帯びている。また『創世記』にも登場するヤコブの妻ラケル（Rachel）を連想するような「レイチェル・ラビノヴィッチ」が登場し、トラのように「殺意のにじむ爪先で葡萄の実をひきちぎる[*78]」。

エリオットがコンラッドの『闇の奥』からインスピレーションを得ていたことも重要である。『荒地』には、愛という感受性を失い、欲望にまみれ、理性を失った状態で微睡んでいる人々がさまざまに描かれている。もちろん、コンラッドが『闇の奥』を書いたとき、十数年後に世界大戦という大災禍が起きようとはおよそ想像できたはずもないが、それでもこの小説に描かれる人間の無感覚と強烈な死のイメージには、ヨーロッパが引き起こした戦争の兆しが表れているといっていいだろう。エリオット自身は徴兵されていないが、一九一四年にドイツのマールブルクに滞在しているときに第一次世界大戦が勃発した。戦争を避けるためにロンドンに向かい、途中戦時下のさまざまな障碍にあいながら、フランクフルト、ロッテルダムを経由してロンドンに辿り着いた。大戦中およそ一〇〇万人のイギリス兵士の他に、一七〇万人のフランス兵士や二〇〇万人のドイツ兵士が命を落としている。[*79]

一九世紀においては、ヨーロッパの最高の価値——つまり、文明や光、交易、科学の進歩——の普及こそ、帝国時代の新しい原理であり、正義でもあった。しかしヨーロッパで成立した国民国家という体制はこのような理想を掲げながらも、帝国主義で異民族と接することで強い排他性を顕わにした。一八九九年発表の『闇の奥』に描かれるクルツという人物は、帝国主義という制度に対して倫理的責任を果たさなかった人間の象徴である。語り手マーロウがアフリカのコンゴ河流域の密林の闇の奥にクルツを探し当てる頃には、彼は権力と欲望の象徴に成り下がっていた。南アフリカの鉱物採掘で巨富を得たセシル・ローズ（Cecil John Rhodes, 1853-1902）は「我々こそが世界で最も優れた人種であり、我々が繁栄し世界のあちこちに占住することは人類にとって有益である。想像してごらん。卑しむべき人種が住んでいる地域がアングロサクソン人の影響下におかれることでどれほどの変化がもたらされるか」と豪語したが、植民地下の先住民の資源や労働力を搾取するための正当化でしかなかったことは明白である。[*80] このクルツというヨーロッパ人こそ、当時交易で富を成したローズのような白人至上主義者たちの象徴として描かれている。アーレントもこの二人を同じ文脈で理解し、ローズのことを「初期の人種主義狂信者」と呼んでいる。[*81] しかし、コンラッドにとってクルツは「心根はイギリス人と同じでまっとうだった。母親は半分イギリス人で、父親は半分フランス人。ヨーロッパ全体がクルツという人物を作りあげるのに貢献していたわけだ」。[*82] つまりこの小説では、クルツが例外だったということではなく、彼こそがどこにでもいる典型的な文明人であり、誰しもが潜在的に彼のように獣性に退行する可能性を秘めている。この認識はケアの倫理の提唱者でもある岡野氏によっても強調されている。「人類の数限りない暴力の歴史を前に、具体的な存在として生きるわたしたち誰もが、暴力に加担する可能性がある」（岡野八代『戦争に抗する』、二四〇頁）。

クルツと遭遇するその直前にマーロウはある光景に出合っている。それは、一見建物の前にあった柵の名残りの杭と思われたものだったのが、よく見るとクルツの暴力性を表象する恐ろしい光景であった。

それから杭を一本一本よく見たら、思い違いをしていたのがわかった。先っぽの丸いものは飾りじゃなくて、象徴のようなものだったんだ。（中略）杭の先の首が建物のほうを向いているのでなかったら、もっと迫力があっただろう。顔がこちら向きなのは、俺が最初に見たやつだけだった。（ジョセフ・コンラッド『闇の奥』、一四二頁）

杭の先に見えるのが先住民の首であったという驚愕すべき事態に対して、クルツ自身は罪の意識を感じるどころか、死ぬまで象牙と自己の欲望に取り憑かれていた。また、クルツには、彼を崇拝する先住民からの贈り物である装身具を身に着けた「野性的で華麗な女、猛々しい眼つきの気高い女」（同、一五〇頁）がいた。クルツの退廃ぶりは「彼の芯は虚ろだった」、つまり「空洞」（hollow）という言葉によって表されている（同、一四四頁）。

デカルトは人間と動物の差異は思考力にあると言ったが、人間の本質的な優越性を規定するこのデカルトの基準がそのまま西洋人にあてはめられたとき、奴隷や植民地の先住民を、人間と対等の扱いから排除することを可能にした。非白人は動物と同様理性を欠いた、自然、獣性、異質なものに近いとみなされた。しかし、皮肉なことに、ヨーロッパ近代を象徴すべきクルツは堕落し、理性も倫理観も喪失する。ここには、ノディングズが言うところの「貴重な他者」を「破滅させ」てまで制度に奉仕するような、倫理を完全に放棄した人物像が浮かび上がる。制度が望むなら、その他者を「破滅させ、そのうえ、楽園のうちに自分の報酬を見つける」ような生き方は、自分の「倫理的理想が〔その原理〕の線に沿って漸次消失していく[*83]」。正気を失いつつあったクルツが口にした「獣は皆殺しにせよ！」という言葉は、先住民を皆殺しにせよという冷酷な意味が込められているのと同時に、クルツ自身のなかにある「獣」を消滅させよという葛藤の表れとして理解することもできる。クルツは「あまりにも愚かすぎて道を踏み外すことができない人間、あまりにも鈍くて闇の力に襲われていることを自覚できない人間」として描かれているが（同、一二一―一二二頁）、この「道」とは、帝国主義という暴虐が敷いた道であり、彼自身の倫理観ではない。クルツはその《制度》に、あまりに無邪気に身を委ねた人物と言えよう。

興味深いことに、ハンナ・アーレントは『全体主義の起原』の第二巻、第三章「人種と官僚制」で、コンラッドの『闇の奥』を参照しながら、クルツを「虚《うつろ》」と形容している。「骨の髄まで**虚であり**、無鉄砲だが意気地がなく、**貪欲**だが剛毅さはなく、残虐だが**勇気はない**」[*84]。感情とも関わる「勇気」は倫理を考えるときに重要なファクターであるとアーレントは考えていたが、クルツはまさにその点において、理性を信奉する近代人が陥る罠の象徴でもある。

以下の一節からは、アーレントがナチやスターリン体制に見られる全体主義を帝国主義とも連続性のある《近代》の問題としても捉えていたことがわかる。

国民国家はこのような統合の原理を持たない。それはそもそもの初めから同質的住民

と政府に対する住民の積極的同意（中略）とを前提としているからである。ネイショ
ンは領土、民族《フォルク》・人民、国家を歴史的に共有することに基づく以上、帝国を建設する
ことはできない。国民国家は征服を行なった場合には、異質な住民を同化して「同
意」を強制するしかない。**彼らを統合することはできず、また正義と法に対する自分
自身の基準を彼らにあてはめることもできない。**したがって、征服を行なえばつねに
暴政におちいる危険がある。[*85]

アーレントのクルツへの印象は、ユダヤ人を強制収容所に移送する列車を動かした責任者
であると思えないほど「思考不能」と彼女が感じた、機械化されてしまったアイヒマンの
印象とよく似ている。

『荒地』が帝国主義や人種差別への問題提起でもあると言えるのは、エリオットが（アー
レントと同じように）『闇の奥』からインスピレーションを得ていたからだ。彼は、この
小説からの引用を『荒地』の題辞にしようとしていた。[*86] エズラ・パウンド（Ezra Pound,
1885-1972）の助言を受けて引用することを取りやめたが、[*87] それでもこのヨーロッパの退
廃のイメージはそのまま「うつろなる人々」（The Hollow Men, 1925）という詩に利用さ
れている。『荒地』自体にもコンラッドが描いたクルツのように欲望に「屈服」する人々
が描かれている。第二部の「チェス遊び」では、倫理の力が失われた男の心に何も思い浮

かばない状態が描かれる――「あんたいきてるの、しんでるの？　あんたのあたまからっぽなの？」(1.126)。第三部の「劫火の説教」では、『闇の奥』のイメージがさらに強化され、近代ヨーロッパの交易の象徴でもあるテムズ川が描かれる。「麗わしのテムズの流れよ」という幾分ロマンチックな情景が設定されているが、すぐに売春宿の経営者やスウィーニーという性的、動物的な人物が登場し、テムズ川のイメージが故意に汚されている。また、「ナイチンゲールに囲まれたスウィーニー」のスウィーニーは、アガメムノンのような神話の英雄たちと比べられることによって、矮小化される上、獣に格下げされている。第三部で登場する両性具有者テイレシアスは、男性性と女性性の価値のバランスを欠いた世界をふたたび調和に導く存在である。エリオット自身は、「男女両性」のテイレシアスは「確かに作中人物にはなっていないけれども、この詩においては他のすべてを統合する最も重要な人物であ」り、「テイレシアスの見るものが、実際、この詩の本体である」とも述べている（越沢浩『T・S・エリオット『荒地』を読む』、九一頁）。『荒地』では、男性性の象徴でもあるスウィーニーはほんの一瞬姿を見せるだけである（「春がくるとこの自動車《くるま》がポーター夫人のお宅までスウィーニイを運びます＊88」）。

エリオットは、テイレシアス以外にもJ・G・フレーザーの『金枝篇』（*The Golden Bough*, 1911-1936）に収録されている《死と復活》をテーマにした神話オシリスやアガメムノンの物語などを挿入しているが、それは戦争によって荒廃したヨーロッパに新たな息吹を吹き込もうとする試みと解釈することができる。オシリスは弟のセトに殺され、バラバラに切り刻まれてナイル川に放り込まれたが、妻のイシスがそれらを拾い集めてつなぎ合わせると、再生して冥界の王者となった。予言者テイレシアスは男女の性差を越えて七年間を両性具有者として生き、死後も生と死の隔たりを越えるという特異な人物である。

エリオットが言葉で象徴的に行ったこと――生命の再生――を、現代のアフガニスタンにおいて実践したのが中村哲医師であったと筆者は思う。彼は、地元民放トロニュースによると、砂漠を緑化し、ナンガルハル州の六五万人を潤した。そのプロジェクトは、クナル川に大小のダム建設、一五〇〇カ所以上の井戸の掘削、クナル川からガンベリ地域に至る全長約二五・五キロの用水路の建設などを含む。[*89] もともとハンセン病患者の治療のために派遣された中村医師は、人々の生命の安全と生活の安寧とが脅かされる土地で「生存支援、すなわち井戸掘りや用水路建設」まで活動を広げることになった。[*90]

レベッカ・ソルニット（Rebecca Solnit, 1961-）は、予言者テイレシアスを、ジェンダーとセクシュアリティに関する意見を神々に求められる証言者として捉え、現代社会の文脈では、トランスジェンダーの人々に「性役割が押しつけられ再強化されるさまをつとに知る証言者」であると言う。[*91] テイレシアスが生命の再生や両性具有者の象徴である一方、ナイチンゲールは沈黙させられるピロメーラーのシンボルである。そして、一八世紀末の文脈では、奴隷貿易に反対する意思を表明したイアーズリーが詩のなかで、凌辱、暴力、植民地主義支配の犠牲となった人々の声の喩えとしてピロメーラーを用いている。「私の詩が／悲しみに暮れるピロメーラーにもっと大きな声で鳴くことを教えるだろう／自然の摂理によって彼女の苦悩が増幅されるときに」。[*92] エリオットも未完の詩劇「闘技士スウィーニー」（Sweeney Agonistes, 1926, 1927）では植民地主義の文脈を示唆する会話によって同様の問題提起をしている。先住民が「人食い」なのか、暴力で先住民を支配する西洋人が「人食い」なのかを考えさせられる場面もある。[*93] アイルランド神話のスウィーニーは物語の途中で鳥に変身するのだが、エリオットの「闘技士スウィーニー」も「精神」が回復する兆しを見せている。彼は、娯楽で退屈をしのぎながら死んだように生きている他の登場人物とは違い、「生活の空虚さに気がついて」おり、「本能のおもむくままに行動していたかつての彼とは異なり、罪を自覚し悩む詩人・哲学者になっている」（荒木映子「巡礼者スウィーニー」、八三頁）。つまり、《スウィーニー》が初期の詩においては対照をなしていた《プルーフロック》のペルソナに近づいていることになる。ここには、コウルリッジの老水夫が撃ち落とした鳥の象徴、すなわち精神性が立ち現れる。スウィーニーが「強健な肉体」「粗野で好色」という獣性を担う「直立人」のイメージから、いつしか罪を自覚し悩む倫理的な「横臥者」へと変容していく軌跡はきわめて興味深い。

5. 平野啓一郎『日蝕』から『本心』まで

『荒地』において両性具有者テイレシアスを「すべてを統合する最も重要な人物」であると評したエリオットの説明に、それは使い古されたモチーフの反復だと高を括る人がいるかもしれない。しかしエリオットはギリシア神話を含む「伝統」を「自分一個の精神よりもはるかに大事」な「変化する精神」と見なし、「古者扱いにしない」[*94]。平野啓一郎の『日蝕』（一九九八年）の、錬金術と両性具有という一見「新奇さ」を欠いたように思えるモチーフについて四方田犬彦は、「すでに死んでいるものと積極的に戯れることで、その反復的戯れを通して再生を演出」しているとして、その手腕を高く評価した。この考え方はエリオットのいう「伝統と個人の才能」とも共鳴するようだ。四方田はこの「再生」を、小説に描かれた「両性具有者の遺灰のなかから忽然と出現する黄金」に喩えている[*95]。

平野のデビュー作でもある『日蝕』は、迫害されて十字架に掛けられる両性具有者が主題である。中世フランスの神学僧ニコラが錬金術師ピエェルについて洞窟に入り、目撃したのが「陰嚢《ふぐり》」も「乳房」も備えた両性具有者であった。「男でもなく、女でもなく、且、男でもあり、女でもあ」った[*96]。異端審問官に捕らえられ、十字架に掛けられ火あぶりにされる両性具有者の身体から生じる荘厳な光の充溢を、この若き神学僧ニコラは否定もせず、その原因を究明することもなく、ただその神秘的な現象と一体化した感覚を肯定していた。『日蝕』は、キリスト教と異端の思想の融合を志す神学僧ニコラの物語であるが、ケアの倫理論を踏まえて考えると、ここに、きわめて重要なテーマが浮かび上がる。彼は、キリスト教という《制度》とそこから逸脱する両性具有者を信仰する《異端》とのあいだで揺れ動きながらも、決して「貴重な他者」を「破滅させ」てまで制度に靡くようなことはしないケアの人である。彼は制度や地位ある人間に媚びへつらい出世を果たすギヨオムとは異なり、最後まで自分の倫理を貫く。男女の性が混在する生物を目撃しても、「魔女」として彼／彼女を迫害することもなく、その驚嘆せしめる事実に対して価値判断を下さない。「両性具有者《アンドロギユノス》は私であったのかも知れない」（平野啓一郎『日蝕』、二〇四頁）は二つの価値観のあいだで揺れる彼自身を指す言葉でもあるのだろう。つまり、彼は《ネガティヴ・ケイパビリティ》の人でもある。

私は人の為す所に於ては、或る結果が、**詮ずれば必ず唯一つの原因に帰着すると云う単純な楽観主義を益《ますます》信ずることが出来なくなった。**一つの結果の出づる所は、我々の想うよりも遥かに微妙な混沌でしかなく、多くの場合、我々の見出《みい》だす原因なるものは、有機的なるそれから切取られた一片のかけらに過ぎぬのであろう。[*97]

ニコラの語りは、安易に外見から罪の所在を断定する行き過ぎた《正義》には懐疑的で、ものごとの因果関係をあえて宙づりにしておく「老水夫の歌」の語りにも似ている。

　人間の苦しみに共感する語りは平野が「ロマンティック三部作」と銘打った第三作『葬送』（二〇〇二年）にも顕著に見られる。ロマン派音楽を代表する作曲家フレデリック・ショパン（Frédéric Chopin, 1810-1849）とロマン主義の代表的な画家ウジェーヌ・ドラクロワ（Eugène Delacroix,1798-1863）の知られざる絆に焦点を当てているが、病や苦悩に向き合うという全人間的な営為をその当事者的な視点から描いてもいる。晩年病苦にあえいだショパンが、それでも当時のヨーロッパの時代の趨勢を洞察したり、その苦しみを微塵も感じさせない演奏をしてドラクロワを感心させたり、苦悩は多様なかたちで視点人物に纏わり続ける――「彼〔ドラクロワ〕が不思議に思うのは、恐らくは計り知れぬほどの孤独と苦悩とをその裡に抱え込んでいるにも拘らず、それを克服しようとし、現に克服するショパンの姿に殆ど英雄めいた大仰さが感ぜられないことであった」[*98]。平野はまさに「ヒロイズム」や「正義」という言葉では到底表現しきれないショパンの生き様をドラクロワの視点から綴っている。

　また、病に伏す横臥者ショパンに寄り添う姉イェンジェイエヴィチョヴァ夫人が作品でもっとも生き生きと描かれる登場人物のひとりであることは、この小説が脆弱性《ヴァルネラビリティ》についての物語であることを示唆する。そのイェンジェイエヴィチョヴァ夫人自身は、夫に行為主体性《エイジェンシー》を奪われている。弟の闘病を支えるべく、夫の反対を押し切ってポーランドからフランスにやってきて弟の苦しみに共感し、必要なケアを与え、その死を看取るのだが、「夫は無情にも〔遺品の数々を〕売り払えと命ずるのである！（中略）死して猶も続くこの義兄の仕打ちを彼はどんな気持ちで空の上から見ているだろうと想像されて、彼女は一層悲痛な気持ちにならざるを得なかった」（『葬送』（第二部）、六八二頁）。『魯肉飯のさえずり』の桃嘉の物語は現代版イエンジェイイエヴィチョヴァ夫人ともいえ、幾度となく繰り返し表象されてきた物語なのである。『葬送』の舞台となるロマン主義時代のヨーロッパでは、スタール夫人の『コリンヌもしくはイタリア』（*Corinne ou l'Italie*, 1807）やシャーロット・スミスの『デズモンド』（*Desmond*, 1792）、ウルストンクラフトの未完小説『女性の虐待あるいはマライア』（*Maria, or the Wrongs of Woman*, 1798）、それからジェイン・オースティンの『分別と多感』（*Sense and Sensibility*, 1811）でヒロインたちが夫や恋人の裏切りや暴力性によって尊厳を奪われる物語が繰り返し語られてきた。この終盤のイエンジェイイエヴィチョヴァ夫人によるショパンの看取りは共感に満ちている。

その晩も、死は身悶えする彼を赦そうとはしなかった。イエンジェイイエヴィチョヴァ夫人は弟の生涯のあらゆる瞬間を振り返り、どうしてあの子がここまで悲惨な最期を強いられねばならないのかしらとスターリング嬢に泣きついた。そして、その肩口に

顔を押し当て、「もういい、……**もう十分ですわ、**……」と天を見上げた。（同、六三四頁、太字は筆者）

苦しみに耐えるぐらいなら死を迎えさせてやりたいという姉の共感が「もう十分」という彼女の言葉に表れている。

ギリシア神話には、性暴力を行うゼウス／ジュピターやハデス／プルートーなど、野蛮ともいえる行為に及ぶ男性神が数多く登場するが、豊穣神デメーテル／ケレスのように生物や植物の世界に調和をもたらす女性神もいる。また男性神に凌辱されるペルセポネー／プロセルピナやピロメーラー、拉致されるエウローペーなど行為主体性《エイジェンシー》が奪われている女性も多い。『葬送』にも登場する、ドラクロワが描いたブルボン宮図書室装飾画『イタリアを蹂躙するアッティラ』はギリシア神話などが題材である。「どれほど人間が啓蒙されようとも、どれほど文明が進歩しようとも、完全に秩序の下に支配された世界など決して実現されはしない」と考えるドラクロワは、装飾画に「秩序と無秩序との対立」という主題を選んだ（『葬送』（第一部）、五四二―五四三頁）。「ケレスとアテネ」が「オルフェウスの奏でる調べに誘い出されて清朗な空を舞う」が、「そうした世界に満ちた希望を完全に否定する為に描かれた作品」だという。「右側には侵入者であるフン族。左側には逃げ惑うイタリア人達。そして中心には、馬に乗り、武器を振り上げて部族を率いるアッティラ」が据えられており、「文明によって生まれ、育まれたもののすべてが粉砕され、踏み躙られ、**暴力が津波のように襲い掛かる**」(『葬送』(第一部)、五四四―五四五頁、太字は筆者)。ドラクロワのこの《女性的なもの》と《男性的なもの》が混淆するヴィジョンは、エリオットの両性具有者テイレシアスによって表される『荒地』の世界観を彷彿とさせる。また、ウルフは「クロノス」(＝時間の支配)を忌避し、想像力の「カイロス」のなかに救いを見出した。平野が描くドラクロワも、創造性とは相容れないという理由で「クロノス」に対して強い敵意を顕わにする。そんなときも、彼は「ギリシアの神々」のことを考えている――「人間は物質的な快楽の地べたにすっかり固定されてしまった。しかも、殆ど自発的にね。空虚な逸楽に飼い慣らされている間に頭の上をすっかり天蓋で覆われて、何時しかクロノスの懐から逃れられない状態にされてしまった[*99]」。この「空虚さ」からの解放や愛の感情というテーマは、『決壊』(二〇〇八年)で深められている。

平野は大学時代に西洋政治思想家の小野紀明のもとで学んだが、古代ギリシアについての授業を初めて受けたときの衝撃を次のように語っている。

私は、どうして自分が、古代ギリシア人たちが、一つの世界観の崩壊に直面して感じていた困難を、まるで我が事のように、こんなにも身に染みて体験できるのか、ふしぎだった。そして、考え込んでしまった。

また個々の思想家の思想が「徹底して彼に固有のものでありながら、しかも同時に時代精神の産物」であることを感じさせる授業だったそうだ。[*100] この時代精神と個人の相克はまさに平野がドラクロワに代弁させた世界観とも響き合う。このように海外文学に精通し、自身の小説でもトーマス・マンを初めさまざまな西洋文学に言及したり、さらにはオスカー・ワイルドの『サロメ』(*Salomé*, 1893) を翻訳したりする平野は、多和田葉子と同様にヨーロッパの文化や言語に通じる《越境する》作家である。

平野の最近の小説においては、男性的な価値と女性的な価値が拮抗する展開が物語に緊張感を与えている。『マチネの終わりに』(二〇一六年) でも、現代社会における家父長的な制度において両性具有的な生き方を選ぶことの困難が現実的な生々しさを帯びている。国際的なギタリスト蒔野聡史が魅かれる小峰洋子は、銃弾が飛び交うバグダッドの戦場やその他の地域でも取材活動をする通信記者である。天才と言われていた蒔野がスランプに陥り苦悩し、記者の洋子も過去の恐ろしい体験によるPTSD (心的外傷後ストレス障害) から立ち直ることができず、さまざまなすれ違いの末に、二人はそれぞれの孤独を生き始める。アメリカに移住し、旧来の女性性と結びつけられてきた役割を一旦は引き受けることにした洋子だが、世界に蔓延る「非対称な関係[*101]」を生み出す金融の《制度》に靡いて生活することはできなかった。こうして物語の舞台が世界に広がっていく平野文学を読むと、二一世紀の作家にとって、エリオットのいう「伝統」はもはや自国の――つまり、日本人作家にとっては日本の――伝統に限定されないのだと感じる。二〇世紀初頭のエリオット自身でさえ、東洋的なものを伝統として作品に取り込んでいた。

二〇二〇年に刊行された『ある男』の英訳版（*A Man*）が世界で高い評価を得ているのは、平野の言葉に対する繊細な感性もあるだろうが、現在進行形の国際情勢のみならず世界史や海外文学に関する彼の膨大な知識が可能にする射程の広さによるところが大きいだろう。『ある男』は、弁護士である城戸が谷口里枝という旧知の女性から、亡くなった夫がじつは他人の戸籍を持ち、「谷口大祐」という人物になりすましていたという衝撃の事実を打ち明けられ、その謎に迫っていくという物語である。その過程で、〈ある男〉が受けていた差別、現行の法制度の欠陥という問題などが浮上する。城戸自身は日本で生まれ育ち、帰化しているが、在日韓国人三世である。〈ある男〉の正体を探り当てようとするなかで城戸自身が存在の不安について思索するが、彼の日本人の妻は彼の苦しみを理解することができない。そんなときに出会った美涼には自分の心の裡をいくらか曝け出すことができる。「正義のための反抗」であるカウンター・デモにさえ出かけていかない城戸は、自らが抱える苦悩のために、「暴力的な人間と関わらずに済むような場所（被害者の法律相談とか）を選んで生きて」きた人物である。[*102]

平野の「伝統」との戯れは未だに続いている。『マチネの終わりに』では作品を通じて、リルケの『ドゥイノの悲歌』の思想が物語の基調となっており、洋子の「両性具有的な美しさ」がこの詩に登場する天使に喩えられている。[*103] 最新作『本心』では、『葬送』ほど全面的な「伝統」との対峙は展開されないが、両性具有的な登場人物、獣性の示唆的なメタファーや、鳥のモチーフなどが物語に織り込まれている。『本心』ではAI時代に突入したあとの、仮想現実と現実が入り混じった複雑な人間関係が展開していくが、このような近未来の設定は有人火星探査が描かれる『ドーン』（二〇〇九年）以来である。『本心』は、石川朔也という青年が一人称で語り、「ヴァーチャル・フィギュア」（VF）と呼ばれる技術で死別した母を仮想現実に〝生き返らせる〟物語である。そして朔也は、母の死に目にあえなかった罪悪感、孤独、そして彼女が生前希望していた「自由死」（安楽死）についての謎、彼自身の出生の秘密など、母の死によって宙づりにされてしまった曖昧な因果関係を——仮想現実の〈母〉との対話を通して突き止めようとする。その分からなさという苦しみから解放されるために。

これまでの作品でも主人公の苦悩を通じて、愛に対する功利主義、道徳感情に対する理性という葛藤は描かれてきたが、『本心』では倫理の問題がこれまでよりもはっきりとした形を帯びて描かれている。それが《リアル・アバター》という朔也の職業の性質にも反映されている。社会的地位は低いものの「依頼主からは感謝されることが多い」仕事を提供している。[*104] 目や身体が不自由な人、高齢者が行きたいと思ってもなかなか行けない場所に行き、ゴーグルを装着して通信を繋ぎ、依頼者と一体化して彼／彼女の目や手足となる仕事である。依頼者の高齢化や障害などによって生じる身体運動の「格差」を埋める仕事でもある。じっさい、朔也が出会い、互いに思惑がありながらも、助け合うようになる「イフィー」と呼ばれる登場人物は交通事故で下半身が不自由になり、車椅子生活を送っている。仮想現実の世界では名の知れた《アバター》のデザイナーなのだが、それが成功して巨万の富を得た。身体に不自由はないが、学歴もなく所得が低い朔也と、高層マンションから世界を見下ろす生活ができるイフィーとの関係は、ロールズが考えていたような健常者と身体障害者のあいだに想定される単純な序列関係に帰せられていない。

朔也もイフィーも従来のヒーロー像からはかけ離れている。優柔不断で自己決定能力に欠けている性質、あるいは精神か身体のいずれかに障害がある人物は長らく《ヒーロー》にふさわしくないと考えられ、正義の原理からも「考慮の外」におかれてきた。しかし、平野が描き出す《ヒーロー》たちの曖昧さは往々にして他者を傷つけないため、あるいは傷ついた他者を保護するためである場合が多い。そうはいっても、ケアの人は突如として感情に動かされて、行動に移すことがある。朔也がそういう倫理的な行動を選ぶ契機が二度訪れている。一度目は、彼が高校を退学になるきっかけになった事件である。平野が『葬送』で描いたドラクロワが芸術に表した《文明》と絶え間なく繰り返される《蛮行》との矛盾は、『本心』では、女性の性被害やセックスワークの実情として描かれている。

朔也が通う学校で「生活費を稼ぐために「売春」していたという理由で、退学処分になった」少女がいた（『本心』、一〇四頁）。そこに色は白いが運動能力も高く成績が優秀な、伝統的なイメージの「英雄的な少年」が現れる。彼は、「友人数人を集めて、抗議活動を始めた」（同、一〇五頁）。朔也もこの暴力的でない、ただ定位置で生徒たちが座り込むという、どちらかといえば、少女の境遇に寄り添うためのデモに参加する。一週間でその人数は減り、最終的に「英雄的な少年」も学校側との交渉で「停学に落ち着くと思う」という見通しを語る。ここで、いま一度ノディングズの言葉を思い出したい。制度や組織には、「倫理的理想を弱める傾向」がある。それでも、ケアの人は「依然として責任があ」り、「ある制度やその高尚な原理の腕の中に、避難場所を求めたりはできない」主体であるはずだ。そしてそのカテゴリーに「英雄的な少年」は当てはまらない。学校という《制度》に懐柔された「英雄的な少年」はもはやヒーローとしては描かれていない。朔也は不思議に思って、「彼女は生活費は、どうするの、今後？」と尋ねると、彼は「それは、もう本人の問題だから」と答えている。「英雄的な少年」がなぜ「あんなに熱心になった」のか「よくわからなかった」（同、一〇七頁）。最終的に、朔也一人が座り込みを続けることになるが、その時の彼が抱いた「不可解な感情」は「愛」という言葉で表現されている。「僕は彼女と、二人きりで会うことを望まず、肉体的に求め合うことを夢見ず、思いを告げることも、関係を持続することも、求めていなかった」（同、一〇九頁）。ケアの倫理はときに学校の規則や道徳基準にさえ矛盾することがある。少女の境遇に共感して行動を起こした朔也は、その倫理を貫き通した。

朔也が就いた仕事が《リアル・アバター》であったことも、ごく自然な流れであると思われる。ピロメーラー的なキャラクターも描かれている。母が亡くなる前までは彼女の仕事仲間だった三好である。彼女はかつてセックスワーカーであった。彼女にとって「セックス」は「料理がマズく見えるダイエット用のARアプリ」で「食欲をなくさせ」た結果、「外してからも食べられなくな」る経験に近いと説明している（同、三八四頁）。三好は過去にそれほど嫌悪感を抱くような性体験を強いられていた。出逢った当初からそれを察していた朔也は、彼女の気持ちを「尊重し」続ける（同、三八五頁）。二度目に朔也が大胆な倫理的な行動をとったのは、その感情が発端である。《リアル・アバター》として依頼客のためにメロンを買いにいった日のことだ。その三人組の客による酷い虐めのような指示に振り回されて、「この体を好き勝手に弄んでいる」という《支配される》感覚に陥っていた。行為主体性《エイジエンシー》が奪われる経験をするのだ。セックスワーカーだった三好がおそらく感じていただろう苦しみを感じながら、朔也は「自分が、彼女の客たちと同じ欲望を抱き、つまり、彼女から、その連中と同じだと見做《みな》されることを想像して、激しい嫌悪を覚えた」（同、一九四頁）。ちょうどその直後に、コンビニで男性の客が女性店員に向かって人種差別的な言葉「ここは日本！　ちゃんとした日本語喋れないなら、国に帰れ、国に！」

を吐いているのを見て、朔也は「止《や》めろ。」と二回同じ言葉を発した。そのとき、「ふと、僕〔朔也〕はこの女性は、三好なのではないかと思った。見た目こそ違うものの」（同、一九七頁）と思う。ここでは興味深い連鎖が起きている。自分の身体が「乗っ取られてしまったかのような」無力さを味わった直後、三好に深く共感する（同、一九三―一九四頁）。そして、男の客がその移民女性に向かっていこうとするのを、朔也は何度も「庇い続けた」（同、二四四頁）。のちに彼女は、ティリというミャンマー人の二世であることが分かる。『ある男』の主人公、在日韓国人三世の城戸とは異なり、彼女には日本語を話す能力さえ十分身についていない。

イフィーが《ヒーロー》になるのは「クロノス」が支配する世界においてではない。仮想現実の世界で自らが創造する《アバター》によって、あるいはアバター・デザイナーとして現実の社会に割り当てられた役割から抜け出すことによってである。その恩恵に与っていたひとりが、三好であり、その仮想現実の世界で〝生きる〟時間が慰めになっていた。ウルフが「病気になるということ」を書いた時代にはおそらく想定されなかったテクノロジーだが、仮想現実によって「カイロス」的な想像世界が押し広げられ、一時的に自らの身体の不自由さや苦しい現実から解き放たれる状態は、ウルフ的な「横臥者」を連想させる。イフィーにとっての《ヒーロー》とは、「苦しんでいる弱者を救済する姿」（同、二五〇頁）であり、それがアバター・デザインの仕事に繋がり、現実世界で成功を手に入れる手段となった。

人は確固とした個人というより複数の《分人》によってできているという平野の分人主義もこの小説を分析する鍵となろう。『本心』では、ＶＦの〈母〉の学習過程を描写することで、人間がどのような分人を誰と構築していくのかという経験をなぞっている。もし人間もＶＦと同じように、さまざまな人間との〝関係性〟のなかで別個の人格を形成していくのだとすれば、『本心』は分人主義の実験的試みであるといってもよい。その点で、朔也がＶＦの〈母〉を他人に貸し出すというオプションを利用するエピソードは興味深い。生前仲の良かった三好にもＶＦと対話してもらうことで、〈母〉はより現実の母に近くなるが、それ以外の人間との対話からも彼女は様々な価値観を学ぶ機会を得るというメリットがある。〈母〉は吉川という八〇歳くらいの英文学者に貸し出され、数回にわたり対話が重ねられた。心のないはずの〈母〉が吉川と対話することで、〈彼女〉の文学の教養が養われていくさまを目の当たりにする朔也も、そして読者も、吉川と育んだＶＦの〈母〉の分人に驚かされるのだ。吉川は〈母〉に看取られる前、コウルリッジの詩「小夜啼鳥《ナイチンゲール》」を英語で諳んじて、「それを聴いてくれる人がいて、本当に嬉しい」と言って、涙を流した（同、三四二頁）。吉川はなぜ心があるはずのないＶＦの〈母〉に詩を朗読したいと思ったのだろうか。コウルリッジが生きている間に抱えていた苦悩を知っていた吉川だからこそ、彼の「小夜啼鳥《ナイチンゲール》」という共感の詩を読み上げたかったのだろう。数々の逆境を経験しながら、一人息子を育て上げた苦労人である母のVFに「聴いて」共感してもらいたいと思ったのだろうか。生前、朔也の母は息子に負担がかかるくらいなら自分の生を終わらせる方がよいと考え、「もう十分なのよ。……もう十分」（同、三一頁）と言っていた。これは、ショパンの姉イエンジエイエヴィチョヴァ夫人の言葉でもある。

むすび

平野にとって、両性具有者は『日蝕』以来、社会の規範から逸脱する存在でありながら、共感力に優れた人物でもある。ウルフはコウルリッジを「両性具有的」と形容した。ナイチンゲールという鳥の「媒体」は伝統的に悲哀や憂鬱を表すのに反して、コウルリッジはあえて歓喜の象徴としたからであろうか。エリオットは大戦後の荒廃から数多くの〝死と再生〟のモチーフを介して、読者の想像力に変化をもたらそうとした。そしてその「媒体」――あるいは《アバター》――は動物や神話の登場人物などである。人はみな《アバター》的な部分を持ち合わせている。精神がある以上、象徴的なものを介して新たな価値を取り込んでいくからだ。男性であっても「ピロメーラー」というアバターを介して、女性の苦しみを理解することができる。これこそが、ウルフのカイロス的な想像力の働きである。ウルフにとっての両性具有者は『オーランドー』の主人公のように創造的な、あるいはカイロス的な存在であった。『ダロウェイ夫人』のセプティマスもまたその好例だろう。オスカー・ワイルドにとっての両性具有者は「幸福な王子」や「ナイチンゲールと薔薇」に描かれた自己犠牲的な鳥のなかに見出すことができる。前者の物語では、女性として描かれる「葦」に恋した異性愛の男性と見做される「燕」が、幸せな王子の像に寄り添い、貧しい人々に宝石や金箔を届け続けてほしいという彼の願いを聞き届けて、最後には寒さで命を落としている。燕の王子に対する愛は両性具有的である。クィアな芸術家ワイルドにとって、作品中の登場人物は——とりわけ人間でない動物やモノの場合——セクシュアリティとあまり結びつかない《アバター》として機能したのだろう。

『本心』で三好が仮想現実で朔也と初めて出会う場面でも、彼女は人間ではなく〝猫〟になって登場する。考えてみれば、《アバター》になって誰かと対話する行為とは、読者が文学作品のキャラクターやペルソナに感情移入する感覚に近いのではないだろうか。文学作品における両性具有者というのは、家父長的な制度が前提とする男女の厳格な性規範から逸脱するクィアな存在である。たとえば、多和田葉子の『献灯使』に描かれる近未来の少年無名に感情移入した読者は、肉体的には脆弱そのものである彼になった気持ちになるだろう。精神的にも過剰に男性的でも、また過剰に女性的でもない両性具有的な存在と一体化する。すなわち、文学は読者のなかに新しい他者性の意識を芽生えさせる驚異的な営為なのだ。

朔也にも両性具有的な側面がある。たとえば、生前母親の「体に指一本触れたことがなかった」「手だけでも握ってやっていたなら[*105]」とそれまでのふるまいについて内省する点も、彼がいわゆる「男らしさ」に縛られていないことの証左なのかもしれない。『「カッコいい」とは何か』（二〇一九年）で平野は、長らく男性中心社会であった近代ヨーロッパの理想的な男性像は「戦いに於ける勇敢さ」「正義のための反抗」「弁論の巧みさ」「セックス・アピール」「家族を守ること」などであったことを指摘しているが、この悪しき「男らしさ」が「二〇世紀の両大戦のプロパガンダに最大限、活用され」たことを殊更強調している。[*106] 朔也とイフィーを新たな《ヒーロー》として描くことに意義があるのは、世間一般で考えられている「正義」が暗黙裡に〝闘うこと〟あるいは〝暴力性〟を正当化するための言葉として用いられるケースが多いからではないだろうか。平野のジェンダーに意識的な描写は、三島由紀夫やオスカー・ワイルドのクィア性とも響き合う。ただし、彼は家父長的な「男らしさ」という価値観を深く内面化していた三島の葛藤を理解しながらも、そういう「男らしさ」には慎重な態度を示している。

このような水平のまなざしは、人種や国家によって人間を区別しようとする拘束的な見方に抗うまなざしである。『ある男』や『本心』に描かれる他者への共感は、村上克尚氏が着目する武田泰淳の多元主義にも通じている。『本心』では、外国人の支援をするNPOの代表の「そうですよ、日本人対外国人の問題じゃなくて、社会の格差の問題ですから、これは*[107]」という言葉が朔也の心を打つのだが、「多様な他者たちと多様な仕方で繋がる」ことを目指した武田文学とも響き合う意識であろう。また、「重要なのは、国民、民族、あるいは西洋／東洋といった何らかの同一性に依拠する以前に、これらの人びとの苦しみを自分の身体において引き受けることではないか*[108]」という村上氏の言葉には、《ケアの倫理》にも通じる道筋がある。平野によれば、日本人を「〃人類〃というカテゴリーへと還元しようとする」考え方に「徹底して否定的だった」三島が、じつは未完の『日本文学小史』では、「ヒトというサブスタンスに基づく「底辺の国際主義」がある」と語っていた*[109]。平野がこのように三島の書いたものから、「多様性」（平野啓一郎『『豊饒の海』論』、七〇頁）というテーマを引き継ぐとき、そこにはグローバル時代に求められる開かれた視座と他者の苦しみを含んだ「伝統」に関与しようとする平野自身の思想も見え隠れする。真にグローバルであるということが単に他国との交易によって経済的に潤うということでないとすれば、それは、異なる人種、文化、言語という背景を持つ他者の存在を尊重し、間主観的に関係性を築くことではないだろうか。ここで取り上げた文学作品はいずれもその価値の重みを教えてくれる。

あとがき

本書は、キャロル・ギリガンが初めて提唱し、それを受け継いで、政治学、社会学、倫理学、臨床医学の研究者たちが数十年にわたって擁護してきた「ケアの倫理」について、文学研究者の立場から考察するという試みである。ケアの概念は、海外では少しずつ広まっており、フランスでは政治の現場でも議論されるまでになっている。そう考えると日本社会ではまだまだ浸透しているとは言えないだろう。ケアが政治言説として鍛え上げられるまでには、この概念が人口に膾炙《かいしや》することが必要なのではないかと思う。そのためには、これまで語られてきた弱者の物語を共有することが重要なプロセスなのではないだろうか。そのさまざまな〝語り〟を解読する鍵として「ケアの倫理」はなくてはならないものであるというのが筆者の考えである。この倫理は、これまでも人文学、とりわけ文学の領域で論じられてきた自己や主体のイメージ、あるいは自己と他者の関係性をどう捉えるかという問題に結びついている。より具体的には、「ネガティヴ・ケイパビリティ」「カイロス的時間」「多孔的な自己」といった諸概念は潜在的に「ケアの倫理」と深いところで通じている。

これらの概念を結束点としながら、本書は、海外文学、日本文学の分析を通して「ケアの倫理」をより多元的なものとして捉え返すことを試みた。そして、文学の豊かさのなかにケアの価値が見出され、あるいは見直されることを想望して書かれた。執筆過程で浮かび上がってきたのは、「ジェンダー」「セクシュアリティ」「人種の多様性」という三つのテーマである。結果として、一般的にケアが結びついてきた「ケア労働」(=物理的なケア)というイメージを越えて、内面世界を包括する「ケア」(配慮、愛情、思いやり)というより広範な意味として流通してきた歴史を再認識できた。オスカー・ワイルドも『社会主義下における人間の魂』で、物理的な他者のケアはもちろん大切だが、軽視されがちな精神的なケアは最重要事であると言っている。ワイルドをはじめとして、ヴァージニア・ウルフ、S・T・コウルリッジ、三島由紀夫、多和田葉子、平野啓一郎らが内面世界を包括する「ケア」の営為を生き生きと作品に描き出してきたことを、拙論が少しでも示せたとしたら幸いである。

最後に、「ケアの倫理が、近代の倫理理論のなかではあまり語られることのなかった異質な価値を提唱している」という品川哲彦の指摘を改めて強調したい(品川哲彦『正義と境を接するもの——責任という原理とケアの原理』、ナカニシヤ出版、二〇〇七年、一四五頁)。近代社会にとって、あるいは資本主義社会にとって、「ケアの倫理」が〝異質〟だからこそ、今の行き詰まった社会の状況を変えていく原動力になると信じている。

『群像』に連載の機会を与えてくださった戸井武史編集長は、連載中ずっとヒントになりそうな記事や本を教えてくださり、その励ましのおかげで連載を乗り切ることができました。深く感謝いたします。また、毎回長い原稿を忍耐強く読んでご助言くださった連載担当者の嶋田哲也さん、書籍化でお骨折りくださった堀沢加奈さんにも心からお礼を申し上げます。膨大な出典の確認に気の遠くなる時間を費やしてくださった校閲の方々、素敵な装幀をしてくださった川名潤さんにも感謝いたします。〈ケア〉の価値を高めようと長年政治思想と「ケアの倫理」のご研究を続けてこられた同志社大学の岡野八代先生には心から敬意を表するとともに、ご著書やご講演からインスピレーションを得られただけでなく、個人的にもさまざまなご助言をいただきました。ありがとうございました。また、数年前から難病で苦しんでいる母と語り合う時間が「ケアとは何か」という思索を深めることにも繋がったと感じているので、連載を毎回楽しみにしていてくれた母にも感謝の気持ちを伝えたいと思います。連載を読んでコメントをくださった数多くの方々に励まされて、こうして書籍化にいたりました。応援してくださった方々に心から感謝申し上げます。

二〇二一年七月

小川公代

註

序章　文学における〈ケア〉

＊1　岡野八代「訳者まえがき」、『ケアするのは誰か?――新しい民主主義のかたちへ』（ジョアン・C・トロント著、岡野八代訳・著、白澤社発行、現代書館発売、二〇二〇年）、九頁。

＊2　Alexandra Valint, Accepting Adèle in Charlotte Brontë's *Jane Eyre*, *Dickens Studies Annual*, Vol.47, 2016, p.210.

＊3　Valint, p.210.

＊4　ヴァージニア・ウルフ『自分ひとりの部屋』（片山亜紀訳、平凡社、二〇一五年）、九七―九八頁。

＊5　ファビエンヌ・ブルジェール『ケアの倫理――ネオリベラリズムへの反論』（原山哲、山下りえ子訳、白水社、二〇一四年）、二一―二二頁。

＊6　内閣府男女共同参画局「年齢階級別労働力率の就業形態別内訳（男女別、平成二四年）」https://www.gender.go.jp/about_danjo/whitepaper/h25/zentai/html/zuhyo/zuhyo01-00-14.html

＊7　筒井淳也「なぜ日本では「共働き社会」へのシフトがこんなにも進まないのか?」（現代ビジネス、二〇一六年九月二日）、https://gendai.ismedia.jp/articles/-/49532

＊8　Kate Ellis, Monsters in the Garden: Mary Shelley and the Bourgeois Family, *The Endurance of "Frankenstein": Essays on Mary Shelley's Novel*, eds. George Levine and U.

C. Knoepflmacher, Berkeley, Los Angeles, and London: Univ. of California Press, 1979, pp.123-142.

＊9 神谷美恵子「V・ウルフの病跡」、『神谷美恵子著作集4 ヴァジニア・ウルフ研究』（みすず書房、一九八一年）、八八―八九頁。

＊10 神谷美恵子「V・ウルフの病跡」、九四頁。

＊11 ヴァージニア・ウルフ『自分ひとりの部屋』、一七八―一七九頁

＊12 帚木蓬生『ネガティブ・ケイパビリティ　答えの出ない事態に耐える力』（朝日新聞出版、二〇一七年）、五―六頁。

＊13 Donald C. Goellnicht, *The Poet-Physician: Keats and Medical Science*, Pittsburgh: University of Pittsburgh Press, 1984, p.155.

＊14 Kimiyo Ogawa, "Roaming fancy" and Imagination: Gothic Force in Austen's, *Northanger Abbey* and Keats's *Isabella, Studies in English literature*, 57, 2016, pp.23-39.

＊15 チャールズ・テイラー『世俗の時代』（上）（千葉眞監訳、木部尚志、山岡龍一、遠藤知子訳、名古屋大学出版会、二〇二〇年）、四七頁。Charles Taylor, *A Secular Age*, Cambridge, Massachusetts, and London: The Belknap Press of Harvard University Press, 2007, p.27.

＊16 サンドラ・ギルバート、スーザン・グーバー『屋根裏の狂女――ブロンテと共に』（山田晴子、薗田美和子訳、朝日出版社、一九八六年）やガヤトリ・C・スピヴァックの『ジェイン・エア』に関する論文（Gayatri Chakravorty Spivak, Three Women's Texts and a Critique of Imperialism, *Critical Inquiry*, 12:1（Autumn, 1985）, pp.243-261）など

参照。

＊17 Cora Kaplan, *Victoriana: Histories, Fictions, Criticism*, Edinburgh: Edinburgh University Press, 2007, p.18.

＊18 Virginia Woolf, *Jane Eyre and Wuthering Heights*, *The Common Reader*, First Series, London: Hogarth Press, 1925, p.196.

＊19 Debra Gettelman, "Making out" Jane Eyre, *ELH*, Vol. 74, No. 3 (Fall, 2007), p.562.

＊20 Kimiyo Ogawa, An Organic Body Politic: Wollstonecraft's *Historical and Moral View of the Origin and Progress of the French Revolution* and John Brown's *Idea of Health*, *Liberating Medicine, 1720-1835*, eds. Tristanne Connolly and Steve Clark, London: Pickering & Chatto, 2009, pp. 69-82.

＊21 國分功一郎『中動態の世界――意志と責任の考古学』（医学書院、二〇一七年）、二八七頁。

＊22 S・T・コウルリッジ『「政治家必携の書――聖書」研究――コウルリッジにおける社会・文化・宗教』（東京コウルリッジ研究会編、こびあん書房、一九九八年）、一六七頁。

＊23 S・T・コウルリッジ『「政治家必携の書――聖書」研究』、一一六頁。

＊24 中野剛志『保守とは何だろうか』（NHK出版新書、二〇一三年）、一七六頁。

1章　ヴァージニア・ウルフと〈男らしさ〉

＊1 ヴァージニア・ウルフ『灯台へ』（鴻巣友季子訳）、『池澤夏樹＝個人編集　世界文学全

集II―01　灯台へ／サルガッソーの広い海』（ヴァージニア・ウルフ、ジーン・リース著、鴻巣友季子、小沢瑞穂訳、池澤夏樹編、河出書房新社、二〇〇九年）、五〇頁。

*2　モダニズム文学とスペイン風邪を研究するエリザベス・アウトカによれば、この小説で直接「スペイン風邪」に言及していなくても、一九二五年の刊行というのが重要で、小説中で「インフルエンザ」に言及すればこの疫病を指すという。Elizabeth Outka, *Viral Modernism: The Influenza Pandemic and Interwar Literature*, New York: Columbia University Press, 2019, p.113.

*3　Panthea Reid, *Art and Affection: A Life of Virginia Woolf*, New York and Oxford: Oxford University Press, 1996, p.5.

*4　ＯＥＣＤ「コロナウイルス危機との闘いの前線にいる女性たち」、http://www.oecd.org/tokyo/newsroom/ja%20Women%20at%20the%20core%20of%20the%20fight.pdf

*5　アンジェラ・マクロビー「ポストフォーディズムのジェンダー」（中條千晴訳、田中東子解題）、『現代思想』二〇二〇年三月臨時増刊号「特集　フェミニズムの現在」（青土社）、一八七、二〇四頁。

*6　武井麻子「感情労働としてのケア」、『ケアの社会倫理学――医療・看護・介護・教育をつなぐ』（川本隆史編、有斐閣選書、二〇〇五年）、一六八―一六九頁。

*7　興味深いのが、この職業に就いている日本における男女の割合である。男性看護師が七・八%、女性看護師が九二・二%と圧倒的に女性の方が多い（厚生労働省が公表した「平成30年衛生行政報告例（就業医療関係者）の概況」）。https://www.mhlw.go.jp/toukei/list/36-19.html

＊8　Kimberly Engdahl Coates, Phantoms, Fancy (And) Symptoms: Virginia Woolf and the Art of Being Ill, *Woolf Studies Annual*, Vol.18, 2012, p.3.

＊9　Virginia Woolf, Professions for Women, *The Death of the Moth and Other Essays*, London: The Hogarth Press, 1981, p.150.

＊10　「負の男らしさ」については、ウルフの短編小説『ある協会』にも示唆されている。この作品には、社会を体験しようという「冒険精神」に満ちた女性が十二人登場し、「男性の領域とされてきた公的領域を自分たちで体験し、自分たちの言葉で描写」することを試みる。またこの作品では、戦争が起きたことに言及していて、「男たちの知性の結果によって大量殺戮という惨い事態が引き起こされてしまったあとの苦い認識」も読み込めるという。片山亜紀「訳者解説」、ヴァージニア・ウルフ『ある協会』（エトセトラブックス、二〇一九年）、四一、四三頁。

＊11　キャロル・ギリガン『もうひとつの声——男女の道徳観のちがいと女性のアイデンティティ』（岩男寿美子監訳、生田久美子・並木美智子共訳、川島書店、一九八六年）。Carol Gilligan, *In a Different Voice: Psychological Theory and Women's Development*, Cambridge, Mass: Harvard University Press, 1982, 1993.

＊12　マッキノンのスタンスは、ケア従事者として理想化された女性観はそもそも「男性支配に汚染されている」というものであった。品川哲彦『正義と境を接するもの　責任という原理とケアの倫理』（ナカニシヤ出版、二〇〇七年）、一九三頁。ドゥルシラ・コーネル『脱構築と法——適応の彼方へ』（仲正昌樹監訳、御茶の水書房、二〇〇三年）、二九八頁。

＊13　内閣府男女共同参画局「共同参画」二〇二〇年三・四月号、https://www.gender.go.jp/public/kyodosankaku/2019/202003/202003_07.html

＊14　イマニュエル・カント「実用的見地における人間学」（渋谷治美訳）、『カント全集　15』（渋谷治美、高橋克也訳、岩波書店、二〇〇三年）、一八二―一八三頁。

＊15　梅垣千尋「女性思想家の〈マイナー性〉――「愛」をめぐるウルストンクラフトのバーク批判を事例として」、『政治思想研究』二〇二一年五月（第二十一号）、一一〇頁。

＊16　二〇二〇年九月、アメリカの雑誌『TIME』の「世界で最も影響力のある一〇〇人」のひとりに大坂なおみ選手が選ばれた。

＊17　伊木緑「大坂なおみ、かわいいだけ？　差別反対には黙る日本企業」（朝日新聞デジタル、二〇二〇年九月三〇日）https://www.asahi.com/articles/ASN9Y718N9SUTIL01C.html

＊18　ウーテ・フレーフェルト『歴史の中の感情　失われた名誉／創られた共感』（櫻井文子訳、東京外国語大学出版会、二〇一八年）、一〇六―一〇八頁。

＊19　ヴァージニア・ウルフ「病気になるということ」片山亜紀訳（原題：On Being Ill）および訳者解説、https://www.hayakawabooks.com/n/nc4c01534f6a6

＊20　トーマス・マン『魔の山』（下）（関泰祐、望月市恵訳、岩波文庫、一九八八年）、六二一頁。

＊21　ヴァージニア・ウルフ『三ギニー　戦争と女性』（出淵敬子訳、みすず書房、二〇〇六年）、一一五頁。

＊22　ヴァージニア・ウルフ『自分ひとりの部屋』（片山亜紀訳、平凡社、二〇一五年）、一二

九頁。

*23 John Keats, *The Letters of John Keats 1814-1821*, Vol.1, 21, 27, December, 1817, ed. Hyder Edward Rollins, Cambridge: Cambridge University Press, 2011, p.193.

*24 ジョルジョ・アガンベン『開かれ　人間と動物』（岡田温司、多賀健太郎訳、平凡社、二〇一一年）、一二一頁。アガンベンは特定の「可能性を不活性化すること」を人間の「深き倦怠」と「動物の放心」とのあいだにある近似性として捉えている。人間が生み出す科学的真理や理念といった解や意味が存在する「閉じられた世界」を動物は知り得ないからである。

*25 もともと「開かれ」はリルケの『ドゥイノの悲歌』第八歌に由来する言葉であるが、リルケが語っているような開かれは、人間が「ヴェールを剝ぎ取られた存在を名指す開かれ」とは異なっている。リルケは「真理《アレーティア》については何ひとつ知らないし、何ひとつ予期してもいない」。ジョルジョ・アガンベン『開かれ　人間と動物』、一〇一―一〇二頁。

*26 ジョルジョ・アガンベン『幼児期と歴史――経験の破壊と歴史の起源』（上村忠男訳、岩波書店、二〇一七年）、二七頁。

*27 ジェームズ・ブラッドワース『アマゾンの倉庫で絶望し、ウーバーの車で発狂した　潜入・最低賃金労働の現場』（濱野大道訳、光文社、二〇一九年）、二七頁。

*28 デヴィッド・グレーバー『ブルシット・ジョブ――クソどうでもいい仕事の理論』（酒井隆史、芳賀達彦、森田和樹訳、岩波書店、二〇二〇年）、三〇八頁。

*29 Frances L. Restuccia, A Messianic Aesthetic: Lily Briscoe's Vision, *Genre*, Vol.49, No.1, 2016, p.5.

＊30　廣松渉他編『岩波　哲学・思想事典』（岩波書店、一九九八年）、二一六頁。
＊31　ジョルジョ・アガンベン『身体の使用――脱構成的可能態の理論のために』（上村忠男訳、みすず書房、二〇一六年）、二九一頁。
＊32　チャールズ・テイラー『世俗の時代』（上）（千葉眞監訳、木部尚志、山岡龍一、遠藤知子訳、名古屋大学出版会、二〇二〇年）、四七頁。
＊33　アダム・ポットケーによれば、コウルリッジはナイチンゲールをテーマとした詩の伝統でもある「憂鬱」を転覆して、この鳥に歓喜（joy）を体現させている。Adam Potkay, Coleridge's Joy: From the Bible to Late Romanticism, *The Wordsworth Circle*, 35/3 (Summer, 2004), p.109. S・T・コウルリッジ「小夜啼鳥――会話詩」、『対訳　コウルリッジ詩集――イギリス詩人選（7）』（上島建吉編、岩波文庫、二〇〇二年）、一八一頁。
＊34　ジョン・A・サンフォード『見えざる異性――アニマ・アニムスの不思議な力』（長田光展訳、創元社、一九九五年）、六―七頁。
＊35　ヴァージニア・ウルフ『オーランドー』（杉山洋子訳、ちくま文庫、一九九八年）、三四頁。
＊36　渡辺豪「東京医科大学の受験生差別に「違法」判決　あらゆる場の女性差別の警鐘に」(AERA、二〇二〇年三月二〇日)、https://dot.asahi.com/aera/2020031800021.html
＊37　ジャン＝ジャック・ルソー『エミール』（下）（今野一雄訳、岩波文庫、一九六四年）、七頁。
＊38　ガイ・フォークスというのは一七世紀に議会爆破を企てた男で、その難を逃れた記念に

イギリスでは毎年「ガイ・フォークス・デー」というものがあり、奇怪な人形を作って焼き捨てる行事が各地で開催される。

2章 越境するケアと〈クィア〉な愛

＊1 ジョアン・C・トロント「ケアするのは誰か?——いかに、民主主義を再編するか」、『ケアするのは誰か?——新しい民主主義のかたちへ』(ジョアン・C・トロント著、岡野八代訳・著、白澤社発行、現代書館発売、二〇二〇年)、四五頁。

＊2 https://twitter.com/emorikousuke/status/1330317951686242304

＊3 岡野八代「民主主義の再生とケアの倫理——ジョアン・トロントの歩み」、『ケアするのは誰か?』、九五頁。

＊4 これについては前章の「ヴァージニア・ウルフと「男らしさ」」で、公的領域における看護や介護に携わる男女比などに関する説明をしている。

＊5 キャロル・ギリガン『もうひとつの声——男女の道徳観のちがいと女性のアイデンティティ』(岩男寿美子監訳、生田久美子・並木美智子共訳、川島書店、一九八六年)。Carol Gilligan, *In a Different Voice: Psychological Theory and Women's Development*, Cambridge, Mass: Harvard University Press, 1982, 1993.

＊6 父親による暴力に苦しんでいることを教室内のアンケートで先生に伝えていたにもかかわらず、教員や自治体の職員ら大人は彼女の窮地を救うことはできなかった。高祖常子「今年4月から「親の体罰が法律で禁止になる」と知っていますか」(PRESIDENT Online、二〇二〇年三月三一日)、https://president.jp/articles/-/33989?

＊7　ネル・ノディングズ『ケアリング――倫理と道徳の教育――女性の観点から』（立山善康、林泰成、清水重樹、宮崎宏志、新茂之訳、晃洋書房、一九九七年）、六頁。ギリガンが男女二元論の本質主義者《エセンシャリスト》という汚名を着せられてきたのは、そういう「ケア」に関する状況が看過され、さらには、「ケア＝女性性」というステレオタイプ的イメージが再強化された理論であると誤解されてきたからだろう。

＊8　フィンランドでは、ＬＧＢＴの家族、特にレズビアンとゲイの家族は、「レインボーファミリー」と呼ばれている。これは、非公式な通称ではない。フィンランド社会保険庁は、「一人親家族」など四つの「異なる家族の形」を挙げている。レインボーファミリーは、その一つであり、公式な名称、分類である。

＊9　ケア・コレクティヴ『ケア宣言――相互依存の政治へ』（岡野八代、冨岡薫、武田宏子訳・解説、大月書店、二〇二一年）、四八－四九頁。The Care Collective (Andreas Chatzidakis, Jamie Hakim, Jo Littler, Catherine Rottenberg and Lynne Segal), *The Care Manifesto: The Politics of Interdependence*, London and New York: Verso, 2020.

＊10　イヴ・Ｋ・セジウィック『男同士の絆――イギリス文学とホモソーシャルな欲望』（上原早苗、亀澤美由紀訳、名古屋大学出版会、二〇〇一年）。「クィア」は、男女二元論をベースに構築された社会や文化の制度の中で、同性愛者を侮辱する言葉として使われてきた。しかし、二〇世紀の後半、同性愛者のグループ（「クィア・ネーション」や「ピンク・パンサーズ」ら）が、戦略として自分たちを「クィア」と呼んで権利を主張する運動を起こしたことで、肯定的な意味を持つ言葉へと変化していったという歴史がある。

＊11　松岡宗嗣「「アウティングは不法行為」しかし遺族の請求は棄却。一橋大学アウティング事件裁判が終結」（Yahoo!Japan ニュース、二〇二〇年一一月二五日）https://news.yahoo.co.jp/byline/matsuokasoshi/20201125-00209550/
＊12　平野啓一郎「『豊饒の海』論」、『新潮』二〇二〇年一二月号（新潮社）、六三頁。
＊13　同、六二―六三頁。
＊14　平野啓一郎「解説」、三島由紀夫『サド侯爵夫人・わが友ヒットラー』（新潮文庫、二〇二〇年）、二四四頁。
＊15　髙山秀三『マンと三島　ナルシスの愛』（鳥影社、二〇一一年）、一八二頁。
＊16　三島のジェンダー観は複雑で、女性は「透明な抽象的構造をいつもべたべたな感受性でよごしてしまう」と否定的な見方をすることもあった。三島の『禁色』を読んでいたヤマザキマリに難色を示した母親のことが書かれている。ヤマザキマリ「『禁色』を拒絶した母」、『中央公論特別編集　彼女たちの三島由紀夫』（中央公論新社編、中央公論新社、二〇二〇年）、四一頁。
＊17　三島由紀夫「オスカア・ワイルド論」、『決定版　三島由紀夫全集　27』（新潮社、二〇〇三年）、二八四頁。（原典は旧仮名遣い）
＊18　一八九五年に刑法改正法第一一条のラブシェール修正条項によって有罪になった。
＊19　H. Montgomery Hyde, *The Trials of Oscar Wilde*, New York: Dover Publications, 1962, p.201.（筆者訳）
＊20　大橋洋一「解説」、『ゲイ短編小説集』（オスカー・ワイルドほか著、大橋洋一監訳、平凡社、一九九九年）、三六四頁。

＊21 Noel Gilroy Annan, *Leslie Stephen: His Thought and Character in Relation to his Time*, Cambridge, Mass.: Harvard University Press, 1952, p.224.

＊22 オスカー・ワイルド「W・H氏の肖像」、『ゲイ短編小説集』、五三頁。

＊23 松岡宗嗣「「同性婚、菅総理に賛成してほしい」国会で法制化求める集会開催」（Yahoo!Japan ニュース、二〇二〇年一一月二六日）、https://news.yahoo.co.jp/byline/matsuokasoshi/20201126-00209679/

＊24 松岡宗嗣「批判殺到の「噛まれたら同性愛感染」映画、問題点は？ 上映停止を求める声も」（Yahoo!Japan ニュース、二〇二〇年二月一八日）https://news.yahoo.co.jp/byline/matsuokasoshi/20200218-00163532/

＊25 小川公代「ゴシック小説からゴシック映画へ——《怪物》の示しうるもの」、『イギリス文学と映画』（松本朗、岩田美喜、木下誠、秦邦生編、三修社、二〇一九年）

＊26 なぜ「感染」というテーマが慎重に扱われるべきかについては、丹治愛『ドラキュラの世紀末—ヴィクトリア朝外国恐怖症《ゼノフォービア》の文化研究』（東京大学出版会、一九九七年）を参照のこと。ゼノフォビア、他者なるものに対する不安や侵略、恐怖のメタファーとしての細菌を、医学史的な見地から分析した研究書。

＊27 エドヴァードはアンデルセンを大学に通わせてくれたパトロンのヨナス・コリンの息子。

＊28 Gabrielle Bellot, Dear Internet: *The Little Mermaid* Also Happens to Be Queer Allegory: On the Origins of Hans Christian Andersen's Fable of Frustrated Affection, *Literary Hub*, 12 July, 2019.

https://lithub.com/dear-internet-the-little-mermaid-also-happens-to-be-queer-allegory/

＊29 Regina Puleo, Altruism and Redemption in the Fairy Tales of Hans Christian Andersen and Oscar Wilde, *The Wildean*, No. 32, 2008.

＊30 Oscar Wilde, *The Oxford Authors: Oscar Wilde*, ed. Isobel Murray, Oxford: Oxford University Press, 1989, p.vii.

＊31 Robert K. Martin, Oscar Wilde and the Fairy Tale: *The Happy Prince* as Self-Dramatization, *Studies in Short Fiction*, vol. 16, 1979, p.51.

＊32 Rebecca McLaughlin, A Study in Sherlock: Revisiting the Relationship between Sherlock Holmes and Dr. John Watson, 2013, pp.12-13. In *BSU Honors Program Theses and Projects*. Item 9.
https://vc.bridgew.edu/honors_proj/9

＊33 勿論、ウルフが「二人の寝室」という言葉を検閲したように、ワイルドも『ドリアン・グレイの肖像』で同性愛と解釈できうる箇所は削除した。一八九〇年版で同性愛を示唆するとみなされた言葉のひとつに「崇拝」（worship）がある。男性のバジルが美しいドリアンを「毎日崇拝する」とヘンリー卿に語る会話は一八九一年版では削除されている。https://www.themorgan.org/collection/oscar-wilde/the-picture-of-dorian-gray/19
興味深いのは、アメリカの月刊誌『リピンコッツ・マンスリー・マガジン』のエージェントであったジョセフ・マーシャル・ストッダートが編集した一八九〇年版は、一八九一年版ほど徹底的に同性愛を示唆する言葉を排除していないことだ。
Emily Temple, A Close Reading of the 'Censored' Passages of *The Picture of Dorian*

Gray: "Basil Only Like Dorian as a Friend, We Promise!", *Literary Hub*, 20 June, 2018. https://lithub.com/a-close-reading-of-the-originally-censored-passages-of-the-picture-of-dorian-gray/

*34 レズビアンは当時は男性同士の同性愛ほど厳しく取り締まられなかったが、ホールの『孤独の井戸』は発禁処分となった。

*35 Virginia Woolf, *A Room of One's Own*, Malden and Oxford: Wiley Blackwell, 2015, p.118n.

*36 オスカー・ワイルド「ナイチンゲールと薔薇」、『童話集　幸福な王子　他八篇』（富士川義之訳、岩波文庫、二〇二〇年）、三九頁。

*37 オスカー・ワイルド「スペイン王女の誕生日」、『童話集　幸福な王子　他八篇』、一七一頁。

*38 Oscar Wilde, *The Soul of Man Under Socialism and Selected Critical Prose*, ed.Linda Dowling, London: Penguin Books, 2001.

*39 オスカー・ワイルド「幸福な王子」、『童話集　幸福な王子　他八篇』、一三頁。

*40 オスカー・ワイルド『ドリアン・グレイの肖像』（福田恆存訳、新潮文庫、一九九五年）、三〇七頁。

*41 オスカー・ワイルド『オスカー・ワイルド書簡集　新編　獄中記——悲哀の道化師の物語』（宮﨑かすみ編訳、中央公論新社、二〇二〇年）、一八二頁。

*42 Oscar Wilde, *The Picture of Dorian Gray*, Harmondsworth: Penguin Books, 2000, p.74.

*43 オスカー・ワイルド『ドリアン・グレイの肖像』、一三一頁。

＊44　三島由紀夫、ドナルド・キーン宛ての書簡（一九六四年五月二七日付）、『決定版　三島由紀夫全集　38』（新潮社、二〇〇四年）、四〇〇―四〇二頁。

＊45　北村紗衣「地球人には家族は手に負えない――クィアSFとしての『美しい星』」、『彼女たちの三島由紀夫』、四八―五〇頁。

＊46　同性愛的傾向があった三島にとっては、小説における芸術的表現にとどまっていたのか、あるいは実人生でも同様の葛藤を抱えていたのか明言できないが、多少なりともパラレルの関係にあったことは想像ができよう。

＊47　三島由紀夫『金閣寺』（新潮文庫、一九六〇年）、二〇七―二〇八頁。

＊48　ただし、これはフーゴ・フォン・ホフマンスタール（Hugo von Hofmannsthal, 1874-1929）からの引用であって、三島本人も「さうであらうか？」と書いており、若干留保も読み取れる。

＊49　ここでは具体的に分析しないが、平野啓一郎『ドーン』の主たるテーマは分人主義（dividualism）であり、宇宙飛行士が火星までの宇宙飛行中に互いに様々な関係性を築いていく物語でもあるが、見方によれば、宇宙の視点から人類の未来を捉えようとする小説でもある。

＊50　平野啓一郎自身が述べているように、ジャレド・ダイアモンド『銃・病原菌・鉄』やユヴァル・ノア・ハラリ『サピエンス全史』などが世界的ベストセラーになり、人類アフリカ起源説に基づく歴史認識が共有される現在では、世界中に存在する「ヒト」は同じ人間であるという視点をもつようになっている。三島がそのような視点に必ずしも抗っていたわけではないという可能性が示唆されている。

＊51 三島由紀夫『美しい星』（新潮文庫、一九六七年）、八一頁。

＊52 三島由紀夫『告白 三島由紀夫未公開インタビュー』（講談社文庫、二〇一九年）、四二頁。

＊53 三島由紀夫『太陽と鉄・私の遍歴時代』（中公文庫、二〇二〇年）、九〇頁。

＊54 チャールズ・テイラー『世俗の時代』（上）（千葉眞監訳、木部尚志、山岡龍一、遠藤知子訳、名古屋大学出版会、二〇二〇年）、四七頁。Charles Taylor, *A Secular Age*, Cambridge, Massachusetts, and London: The Belknap Press of Harvard University Press, 2007, p.27.

＊55 多和田葉子×プラープダー・ユン「Between Language and Culture（言葉と文化のはざまで）」（国際交流基金アジアセンター特集記事、二〇一九年八月七日公開）、https://jfac.jp/culture/features/f-ah-yoko-tawada-prabda-yoon/2/

＊56 室井光広「解説　あやしのアルキミコ」、多和田葉子『ゴットハルト鉄道』（講談社文芸文庫、二〇〇五年）、二三四頁。

＊57 多和田葉子『ゴットハルト鉄道』、二七―二八頁。

＊58 多和田葉子『献灯使』（講談社文庫、二〇一七年）、九三頁。

＊59 鷲田清一『「聴く」ことの力――臨床哲学試論』（ＴＢＳブリタニカ、一九九九年）、二〇一頁。

＊60 伊藤亜紗『手の倫理』（講談社、二〇二〇年）、三五頁。

＊61 多和田葉子『地球にちりばめられて』（講談社、二〇一八年）、三七頁。

＊62 多和田葉子『星に仄めかされて』（講談社、二〇二〇年）、七三頁。

＊63　アラン・コルバン編『感情の歴史II　啓蒙の時代から19世紀末まで』（小倉孝誠監訳、藤原書店、二〇二〇年）、二六五頁。

＊64　S. T. Coleridge, *The Notebooks of Samuel Taylor Coleridge*, ed. Kathleen Coburn, Princeton: Princeton University Press, 1961, Text I-III.

＊65　ワイルドや三島ら男性作家の立場からはなかなか見えてこないのが、彼らの妻の存在と、おそらく彼女らが恒常的に家族に提供していたケアである。コンスタンス・ワイルドと平岡瑤子という女性の存在が二人の文豪の仕事を陰で支えていた。コンスタンスはオスカー・ワイルドが逮捕された後、子どもが不当に差別されないため彼らを連れてヨーロッパ各国を転々とし、名字もワイルドからホランドへと変え、親類や友人たちの援助を頼りにしながら生活した。彼女はワイルドが一九〇〇年にフランスで他界する前の一八九八年にイタリアで病死している。

＊66　Yoko Tawada, Tawada Yoko Does Not Exist, *Yoko Tawada: Voices from Everywhere*, ed. Doug Slaymaker, Lanham: Lexington Books, 2007, p.14.

3章　弱さの倫理と〈他者性〉

＊1　キャロライン・ウィットベック『技術倫理1』（札野順、飯野弘之訳、みすず書房、二〇〇〇年）、一三頁。

＊2　ジョン・ロールズ『正義論　改訂版』、（川本隆史、福間聡、神島裕子訳、紀伊國屋書店、二〇一〇年）、七五八頁。

＊3　アマルティア・セン『合理的な愚か者　経済学＝倫理学的探究』（大庭健、川本隆史訳、

勁草書房、一九八九年）、二五〇頁。

＊4　スーザン・モラー・オーキン「公正としての正義——誰のための？」（高橋久一郎訳）、『現代思想』一九九四年四月号「特集　リベラリズムとは何か」（青土社）、一五六—一七一頁。

＊5　ウィル・キムリッカ『現代政治理論』（岡崎晴輝、坂本洋一、関口雄一、千葉眞、木村光太郎、施光恒、田中拓道訳、日本経済評論社、二〇〇二年）、四一九頁。Will Kymlicka, *Contemporary Political Philosophy: An Introduction*, Oxford: Oxford University Press, 1990.

＊6　温又柔『魯肉飯のさえずり』（中央公論新社、二〇二〇年）、五八—五九頁。

＊7　三木那由他「コミュニケーション的暴力としての、意味の占有」、『群像』二〇二一年一月号（講談社）、二九九頁。

＊8　温又柔『魯肉飯のさえずり』、六五—六六頁。

＊9　キャロル・ギリガン『もうひとつの声——男女の道徳観のちがいと女性のアイデンティティ』（岩男寿美子監訳、生田久美子・並木美智子共訳、川島書店、一九八六年）、一二八頁。ギリガンの研究に参加した女性たちは、一五歳から三三歳までの人種・社会階層の異なる二九名の女性で、彼女たちの中絶に関する現実的なジレンマが分析対象となった。

＊10　宮内寿子「ロールズ『正義論』における自由の優先順位」、『筑波学院大学紀要』第四集（二〇〇九年）、一七〇頁。

＊11　ジョン・ロールズ「秩序ある社会」（藤原保信訳）、『現代世界の危機と未来への展望』

（岩波書店編集部編、岩波書店、一九八四年）、一一二頁。

＊12　アマルティア・セン『合理的な愚か者』、二四九頁。

＊13　マーサ・ヌスバウム『感情と法――現代アメリカ社会の政治的リベラリズム』（河野哲也監訳、慶應義塾大学出版会、二〇一〇年）、四二九頁。

＊14　Joan C. Tronto, Beyond Gender Difference to a Theory of Care, *Signs*, 12/4（1987）, p.657.

＊15　ネル・ノディングズ『ケアリング――倫理と道徳の教育――女性の観点から』（立山善康、林泰成、清水重樹、宮﨑宏志、新茂之訳、晃洋書房、一九九七年）、一八二頁。

＊16　ウィル・キムリッカ『現代政治理論』、四一二頁。

＊17　温又柔『魯肉飯のさえずり』、二五頁。

＊18　Monica Ali, *Brick Lane*, New York: Simon & Schuster, 2003, p.57.（筆者訳）

＊19　アマルティア・セン『合理的な愚か者』、一四六頁。

＊20　eds. Patricia Ticineto Clough and Jean Halley, *The Affective Turn: Theorizing the Social*, Durham: Duke University Press, 2007.

＊21　神経科学や認知心理学といった自然科学の分野では、たとえばA・R・ダマシオの研究がある（『デカルトの誤り――情動、理性、人間の脳』田中三彦訳、筑摩書房、二〇一〇年）。脳科学に「身体」の視点を導入することで、情動が脳内の生理、心理現象ではなく、身体と脳との相互作用から生じる動態的現象であると述べている。

＊22　岡野八代『戦争に抗する――ケアの倫理と平和の構想』（岩波書店、二〇一五年）、一二八頁。

＊23　エドマンド・バーク『フランス革命についての省察』（下）（中野好之訳、岩波文庫、二〇〇〇年）、四三頁。

＊24　ネル・ノディングズ『ケアリング』、一七一―一七三頁。

＊25　Joan C. Tronto, *Moral Boundaries: A Political Argument for an Ethic of Care*, New York: Routledge, 1993, pp.43-45.

＊26　エドマンド・バーク「アメリカとの和解についての演説」（Speech on Conciliation with America, 22 March, 1775）、『バーク政治経済論集――保守主義の精神』（中野好之編訳、法政大学出版局、二〇〇〇年）、一九四―一九五頁。

＊27　メアリ・ウルストンクラフト『人間の権利の擁護／娘達の教育について』（清水和子、後藤浩子、梅垣千尋訳、京都大学学術出版会、二〇二〇年）、二〇頁。

＊28　Brycchan Carey, The Poetics of Radical Abolitionism: Ann Yearsley's *Poem on the Inhumanity of the Slave Trade*, *Tulsa Studies in Women's Literature*, 34/1 (Spring, 2015), p.95.

＊29　Ann Yearsley, *A Poem on the Inhumanity of the Slave Trade*, London: G. G. J and J. Robinson, 1788, p.28.（筆者訳）

＊30　David Hume, *A Treatise of Human Nature*, ed. L. A. Selby-Bigge, 2nd edition revised by P. H. Nidditch, Oxford: Oxford University Press, 1978, p.317.

＊31　Fuyuki Kurasawa, The Sentimentalist Paradox: On the Normative and Visual Foundations of Humanitarianism, *Journal of Global Ethics*, 9/2 (2013), p.205. Kurasawa によれば、白人中心主義的な価値観をもつ人の観点からすると、憐憫や共感といった感

情は、他者に対する民族／文化的、人種的なスティグマ化を阻むどころか、自らをより道徳的に優れた、社会文化的に進んだ存在であると断ずる意識を再生産し、不平等の構造に拍車をかける、という問題から目をそらすことにもなる。

＊32 Dan Degerman, Within the heart's darkness: The role of emotions in Arendt's political thought, *European Journal of Political Theory*, 18/2 (2016).

＊33 Hannah Arendt, *Crises of the Republic: Lying in Politics; Civil Disobedience; On Violence; Thoughts on Politics and Revolution*, New York: Harcourt Brace Jovanovich, 1972, p.161.（筆者訳）

＊34 Deborah Nelson, Suffering and Thinking: The Scandal of Tone in Hannah Arendt's *Eichmann in Jerusalem*, ed. Lauren Berlant, *Compassion: The Culture and Politics of an Emotion*, New York: Routledge, 2004.

＊35 Degerman, p.163.

＊36 Mary Wollstonecraft, *A Vindication of the Rights of Woman*, 2d ed., ed. Carol H. Poston, New York: Norton, 1988, p.44.「甘い汁を吸う」と訳したが、原書では「カップの中身を甘くする」（sweeten the cup）という言葉を用いており、明らかに砂糖きびプランテーションで働く奴隷たちのイメージを重ねている。デビー・リーによれば、砂糖はイギリス海峡へと運ばれ、ティーカップの紅茶に溶かされた。そして、その砂糖は「白人文化の病気」の象徴と化していた。

＊37 Kerri Woods, Whither Sentiment? Compasison, Solidarity, and Disgust in Cosmopolitan Thought, *Jounal of Social Philosophy*, 43/1（2012）, pp.33-49.

＊38　Susan Moller Okin, *Justice, Gender, and the Family*, New York: Basic Books, 1989, p.10.

＊39　メアリ・ウルストンクラフト『人間の権利の擁護／娘達の教育について』、一一一頁。

＊40　ネル・ノディングズ『ケアリング』、二六五頁。

＊41　S・T・コウルリッジ「西インド諸島の奴隷の不幸な運命」、『S・T・コールリッジ詩歌集（全）』（野上憲男訳、大阪教育図書、二〇一三年）、五一頁。

＊42　S・T・コウルリッジ「悪夢」、『S・T・コールリッジ　詩歌集（全）』、五三二頁。

＊43　Coleridge to Daniel Stuart, 28 April 1811, *Collected Letters of Samuel Taylor Coleridge, vol.3, 1807-1834*, ed. Earl Leslie Griggs, Oxford: Oxford University Press, 1971, p.319.

＊44　Coleridge to Joseph Cottle, 26 April 1814, *Collected Letters of Samuel Taylor Coleridge, vol.3, 1807-1814*, ed. Earl Leslie Griggs, Oxford: Oxford University Press, 1959, p.477.

＊45　John Livingston Lowes, *The Road to Xanadu: A Study in the Ways of the Imagination*, Princeton: Princeton University Press, 1927, p.363. コウルリッジ自身も、独創的想像力の源泉について『文学評伝』（*Biographia Literaria*, 1817）の中で論じている。S. T. Coleridge, *Biographia Literaria*, 2vols, eds. James Engell and W. J. Bate, Princeton: Princeton University Press, 1983, 1:304.

＊46　Elisabeth Schneider, *Coleridge, Opium and Kubla Khan*, Chicago: University of Chicago Press, 1953, pp.1-2.

＊47　S・T・コウルリッジ「老水夫の歌」、『S・T・コールリッジ　詩歌集（全）』、二八四頁。

＊48　Harry White, Coleridge's Uncertain Agony, *Studies in English Literature, 1500-1900*,

49/4 (Autumn, 2009), p.816.

＊49 たとえば、「黄熱」(yellow fever) という当時流行していた感染症に〝黒吐病〟(black vomit) という異名があるように、コウルリッジや他の著述家たちはこの病はヨーロッパ人による奴隷貿易の罪の代償として背負わされたという考え方をするようになっていったという。White, p.684. 以下も参照。Debbic Lee, Yellow Fever and the slave Trade: Coleridge's "The Rime of the Ancient Mariner, *ELH*, 65/3 (Fall, 1998).

＊50 ブルーメンバッハの分類では、白人 (白)、モンゴリアン (黄色・オリーブ色)、インディアン (濃いオレンジ)、マレー (黄褐色)、アフリカ人／エチオピア人 (黒) の分類によって優劣が定められており、美しい均整のとれた白人の頭蓋骨とそうでないアフリカ人という優劣の関係も明確に示されている。一八一五年に英語にも訳されたガルとシュプルツハイムによる骨相学・臓器学研究 (とりわけ脳の細かな部位の発達・未発達を識別することで人格、性質を診断した研究) は一つのターニング・ポイントであったといえ、ブルーメンバッハが重視した「皮膚の色」、あるいはより構造的な「臓器」「頭蓋骨」が次第に注目を浴びるようになった。

＊51 Richard Dean, *An Essay on the Future Life of Brutes, Introduced with Observations upon Evil, Its Nature, and Origin*, 2vols, ed. Aaron Garrett, Bristol: Thoemmes Press, 2000, 2:104. (筆者訳)

＊52 John Thelwall, An Essay, Towards a Definition of Animal Vitality, reprint in Nicholas Roe, *The Politics of Nature: William Wordsworth and Some Contemporaries*, Basingstoke: Palgrave Macmillan, 2002, pp.115, 117.

*53 一七九六年までは手紙や直接交流を持って、意気投合していたコウルリッジとセルウォールだが、前者が保守化するに従って距離ができていった。セルウォールは過激な政治運動によって投獄された経験を持っていた。キャサリン・パッカムによると、「生命が吹き込まれ、自己進化する」身体のイメージ、すなわち理性の統制下にない身体という生気論は、政治的に不安定な時期でもあった一七九〇年代には、危険な思想であった。Catherine Packham, *Eighteenth-Century Vitalism: Bodies, Culture, Politics*, London: Palgrave Macmillan, 2012, p.119.

*54 J. H. Haeger, Coleridge's Speculations on Race, *Studies in Romanticism*, 13/4 (1974), p.333.

*55 Haeger, p.337.　一八〇八年に書かれたトマス・クラークソンによる『アフリカの奴隷貿易の廃止の歴史』の書評では保守思想に舵を切ったことは見て取れるため、コウルリッジの人種論は一筋縄ではいかない。

*56 S. T. Coleridge, Lecture on the Slave-Trade, *Lectures 1795: On Politics and Religion*, eds. Lewis Patton and Peter Mann, Princeton: Princeton University Press, 1971.

*57 Debbie Lee, Yellow Fever and the Slave Trade: Coleridge's *The Rime of the Ancient Mariner*, *ELH*, 65/3 (Fall, 1998), p.692.

*58 S・T・コウルリッジ「老水夫の歌」、『S・T・コールリッジ　詩歌集（全）』、二八六頁。

*59 中野剛志『保守とは何だろうか』（NHK出版新書、二〇一三年）、一八六頁。

*60 ウルフが「ベネット氏とブラウン夫人」で論敵ベネットとブラウン夫人を区別する際に

重要視するのも人間の一瞬、一瞬、移り変わる感覚である。ヴァージニア・ウルフ『存在の瞬間――回想記』（J・シュルキンド編、出淵敬子他訳、みすず書房、一九八三年）。Marion Dell, Moments of Vision: Thomas Hardy And Virginia Woolf, *The Thomas Hardy Journal*, Vol.31 (Autumn, 2015), p.22.

*61 John Keats, *The Letters of John Keats 1814-1821*, Vol.1, 21, 27 December 1817, ed. Hyder Edward Rollins, Cambridge: Cambridge University Press, 2011, p.193.（筆者訳）

*62 S. T. Coleridge, *Biographia Literaria*, eds. James Engell and W. Jackson Bate, Princeton: Princeton University Press, 1983, pp.234-235.（筆者訳）

*63 S・T・コウルリッジ『「政治家必携の書――聖書」研究――コウルリッジにおける社会・文化・宗教』（東京コウルリッジ研究会編、こびあん書房、一九九八年）、一七四頁。

*64 Adam Potkay, Coleridge's Joy, *The Wordsworth Circle*, 35/3 (Summer, 2004), p.109.

*65 S・T・コウルリッジ「小夜啼鳥――会話詩」、『対訳 コウルリッジ詩集――イギリス詩人選（7）』（上島建吉訳、岩波文庫、二〇〇二年）、一七七頁。

*66 アルヴィ宮本なほ子「「風に助けられることなく」――会話詩の静かな革命」、『コウルリッジのロマン主義――その詩学・哲学・宗教・科学』（大石和欣編、東京大学出版会、二〇二〇年）、四三六、四四〇頁。

*67 アルヴィ宮本なほ子「「風に助けられることなく」――会話詩の静かな革命」、四六三頁。スヴェトラーナ・アレクシェーヴィチ「二〇一五年ノーベル文学賞受賞記念講演 負け戦」（沼野恭子訳、『世界』二〇一六年三月号、岩波書店）、四九頁、太字は筆者。

＊68　ヴァージニア・ウルフ『ダロウェイ夫人』（近藤いね子訳、みすず書房、一九九九年）、二九頁。

＊69　目に見えない霊（＝生気）がいかなる生物にも宿っているという汎神論は、コウルリッジが賞賛したウィリアム・ワーズワスの「眠りは心を封じた」（A slumber did my spirit seal, 1800）という詩にも見られる。亡くなった少女は死しても岩や木々と同じように存在し、地球と一緒に回っているという内容である。「病気になるということ」でも、想像力をもつ存在としての「横臥者」は単に同情の対象ではないことに触れている。

＊70　荒木映子「巡礼者スウィーニー」、『人文研究　大阪市立大学文学部紀要』第四六巻、第一三分冊（一九九四年）、七九頁。

＊71　T・S・エリオット「J・アルフレッド・プルーフロックの恋歌」（深瀬基寛訳）、『エリオット全集　第一巻』（深瀬基寛、上田保、二宮尊道訳、中央公論社、一九六〇年）、五―一四頁。

＊72　Herbert Knust, Sweeney among the Birds and Brutes, *Critical Essays on T. S. Eliot: The Sweeney Motif*, ed. Kinley E. Roby, Boston: G. K. Hall, 1985, pp.197-198.

＊73　T・S・エリオット「伝統と個人の才能」、『文芸批評論』（矢本貞幹訳、岩波文庫、一九六二年）、一六頁。矢本訳では、「鶯」となっているが、ここでの論の整合性を踏まえて、「ナイチンゲール」という訳語で統一する。

＊74　エリオットはコウルリッジのことを「おそらく近代に属するどの批評家よりも目立った才能」を備えた人物として賞賛している。T・S・エリオット「完全な批評家」、『文芸批評論』、三三頁。

*75 中村敦志「*The Waste Land* におけるヒヤシンス挿話での沈黙」、『札幌学院大学人文学会紀要』第七五号（二〇〇四年）、七頁。

*76 邦訳は「フィロメラ」となっているが、ここでは言葉の統一のために、「ピロメーラー」と記述した。T・S・エリオット「荒地」（深瀬基寛訳）、『エリオット全集　第一巻』、一〇四頁。

*77 John Ower, Pattern and Value in "Sweeney among the Nightingales", *Critical Essays on T. S. Eliot: The Sweeney Motif*, ed. Kinley E. Roby, Boston: G. K. Hall, 1985 p.71.

*78 T・S・エリオット「ナイチンゲールに囲まれたスウィーニイ」（深瀬基寛訳）、『エリオット全集　第一巻』、九二頁。

*79 John Keegan, *The First World War*, New York: Alfred A. Knopf, 1999, pp.7, 423.

*80 Veli Mbele, The Fall of Cecil Rhodes and the Rise of Black Power in Africa, *Counter Punch*, April 3, 2015. https://www.counterpunch.org/2015/04/03/the-fall-of-cecil-rhodes-and-the-rise-of-black-power-in-africa/ オックスフォード大学オリオル・カレッジに設置されているローズの像も、米黒人男性暴行死により、奴隷貿易に関わった人々に批判が強まったため、撤去が決められた。Jon Rogers, End of the Rhodes Cecil Rhodes statue: Who was he and what did he do?, *The Sun*, 18 Jun 2020. https://www.thesun.co.uk/news/11818558/cecil-rhodes-statue-oxford-who-was/

*81 ハンナ・アーレント『新版　全体主義の起原　2　帝国主義』（大島通義、大島かおり訳、みすず書房、二〇一七年）、一二一頁。

*82 ジョセフ・コンラッド『闇の奥』（黒原敏行訳、光文社古典新訳文庫、二〇二〇年）、一

二三三頁。

＊83　ネル・ノディングズ『ケアリング』、一八三頁。

＊84　ハンナ・アーレント『新版　全体主義の起原　2』、一二七頁、太字は筆者。

＊85　ハンナ・アーレント『新版　全体主義の起原　2』、九頁、太字は筆者。

＊86　「彼〔引用者注：クルツ〕はすべてがすっかりわかるというあの死の直前の至高の時、欲望、誘惑、それへの屈伏を、細かく憶い出して、自分の人生をもう一度生きたのだろうか。何かの影像、何かの幻覚を見たかのように、二度、囁くような、ほとんど息だけの声で、こう言った――。／「怖ろしい！　怖ろしい！」」（ジョセフ・コンラッド『闇の奥』、一七一頁）を題辞として引用する予定であった。

＊87　越沢浩『T・S・エリオット『荒地』を読む』（勁草書房、一九九二年）、六五頁。

＊88　T・S・エリオット「荒地」（深瀬基寛訳）、『エリオット全集　第一巻』、一一一頁。

＊89　浅野貴志「新たに浮上した中村哲医師を襲った「真犯人」」（東洋経済オンライン、二〇一九年一二月一〇日）、https://toyokeizai.net/articles/-/318770

＊90　清水展「字義通りのフィールド＝ワーカー　中村哲」、『自前の思想――時代と社会に応答するフィールドワーク』（清水展、飯嶋秀治編、京都大学学術出版会、二〇二〇年）、三一頁。

＊91　レベッカ・ソルニット『わたしたちが沈黙させられるいくつかの問い』（ハーン小路恭子訳、左右社、二〇二一年）、七〇頁。

＊92　Yearsley, p.54.

＊93　T・S・エリオット「闘技士スウィーニイ」（上田保訳）、『エリオット全集　第一巻』、

二〇四頁。
＊94　T・S・エリオット「伝統と個人の才能」、一一―一二頁。
＊95　四方田犬彦「解説」、平野啓一郎『日蝕』（新潮文庫、二〇〇二年）、二一二頁。
＊96　平野啓一郎『日蝕』、一三〇―一三三頁。
＊97　平野啓一郎『日蝕』、一九二頁、太字は筆者。
＊98　平野啓一郎『葬送』（第二部）（新潮社、二〇〇二年）、一二七頁。
＊99　平野啓一郎『葬送』（第一部）（新潮社、二〇〇二年）、三二〇頁。
＊100　平野啓一郎「〝我が事〟としての西洋政治思想史――小野紀明『西洋政治思想史講義――精神史的考察』」、『考える葦＝Un Roseau Pensant』（キノブックス、二〇一八年）、一二八頁。高校時代にはランボーの『地獄の季節』の小林秀雄訳を読んで感動したエピソードもある。平野啓一郎『「カッコいい」とは何か』（講談社現代新書、二〇一九年）、三〇五頁。
＊101　平野啓一郎『マチネの終わりに』（文春文庫、二〇一九年）、三〇四頁。
＊102　平野啓一郎『ある男』（文藝春秋、二〇一八年）、一四九頁。
＊103　平野啓一郎『マチネの終わりに』、一六七頁。
＊104　平野啓一郎『本心』（文藝春秋、二〇二一年）、二三頁。
＊105　平野啓一郎『本心』、四一頁。
＊106　平野啓一郎『「カッコいい」とは何か』、四三五頁。
＊107　平野啓一郎『本心』、四四七頁。
＊108　村上克尚『動物の声、他者の声――日本戦後文学の倫理』（新曜社、二〇一七年）、七六

小川公代（おがわ・きみよ）

一九七二年和歌山県生まれ。上智大学外国語学部教授。ケンブリッジ大学政治社会学部卒業。グラスゴー大学博士課程修了（Ph.D.）。専門は、ロマン主義文学、および医学史。著書に、『文学とアダプテーション――ヨーロッパの文化的変容』（共編著、春風社）、『ジェイン・オースティン研究の今』（共著、彩流社）、訳書に『エアスイミング』（シャーロット・ジョーンズ著、幻戯書房）、『肥満男子の身体表象』（共訳、サンダー・L・ギルマン著、法政大学出版局）などがある。

ケアの倫理《りんり》とエンパワメント

二〇二一年 八 月二七日 第一刷発行
二〇二四年一〇月二四日 第七刷発行

著者 小川公代《おがわきみよ》
発行者 篠木和久
発行所 株式会社講談社
〒一一二-八〇〇一 東京都文京区音羽二-一二-二一
電話 出版 〇三-五三九五-三五〇四
販売 〇三-五三九五-五八一七
業務 〇三-五三九五-三六一五

印刷所 TOPPAN株式会社
製本所 株式会社若林製本工場

KODANSHA

ISBN978-4-06-524539-2

初出
序章　文学における〈ケア〉　書き下ろし
1章　ヴァージニア・ウルフと〈男らしさ〉『群像』二〇二〇年一二月号
2章　越境するケアと〈クィア〉な愛『群像』二〇二一年二月号
3章　弱さの倫理と〈他者性〉『群像』二〇二一年三月号

頁。

＊109 平野啓一郎「『豊饒の海』論」、『新潮』二〇二〇年一二月号（新潮社）、六九頁。